Les carnets de

Se faire obéir sans souci!

hachette
SANTÉ

M6 EDITIONS

Sommaire

Avant-propos

Vos enfants, vous les avez, vous les aimez, vous les «sentez». Vous «sentez» ce qu'il faut faire quand ils sont tristes, fatigués, contrariés. Et comme vous êtes à leur écoute, vous faites juste. Mais il arrive que l'on se réveille un matin avec la désagréable sensation d'un glissement sournois. Subitement, on se sent dépassé : cris, chamailleries, récriminations, désobéissances, gros mots ont envahi l'espace familial et piétinent votre espace intérieur. Vous avez raté une marche, vous ne savez plus trop quand ni comment, mais ce que vous savez, c'est que vous avez laissé faire. Et aujourd'hui, vous avez l'impression qu'il est trop tard. Vous vous fustigez en vous traitant de «mauvais parent». Et vous vous dites que vous n'y arriverez jamais…

Faux! On peut y arriver! Il suffit, et ce, à tout moment, d'un tout petit recalage du comportement chez l'adulte pour apporter une modification considérable dans celui de l'enfant. Pour se construire, il a besoin que ses parents lui résistent. L'enfant attend que l'adulte lui pose des limites claires et des interdits, dont il va sans cesse tester l'élasticité. Par son attitude capricieuse, désobéissante ou rebelle, il demande cela inconsciemment à ses parents.

Ceux qui ont suivi l'émission *Super Nanny* sur M6 connaissent déjà un peu ma méthode «commando» d'assistance aux parents désemparés. Elle est simple, basée sur le bon sens et quelques règles fondamentales. Elle a pour mission de rétablir ce que j'appelle la «relation d'autorité» entre l'adulte et l'enfant. En aucun cas elle ne veut changer la nature de chacun, mais seulement réparer ce petit truc qui «coince» dans leur relation d'autorité. J'aide les parents à déculpabiliser, à trouver les ressources pour colmater cette petite marche, non à construire tout un escalier.

Ces petits carnets ont pour objectif de redéfinir un principe fondamental: «Il n'y a pas d'éducation sans autorité», et d'apporter aux parents pour la faire exister des outils pratiques à puiser dans leur comportement.

Cathy

Voici quelques livres à lire avec votre enfant...

- *Zoé*, Soledad Braci, Éditions Loulou&Cie.

- *Non, non, non!* Mireille d'Allancé, L'Ecole des Loisirs.

- *Les gros mots; Polis pas polis; Respecte mon corps; Dire non*, Dr Catherine Dolto-Tlith, Colline Fauré-Poirée, Gallimard Jeunesse.

- *Lili est malpolie*, Dominique de Saint Mars, Serge Bloch, Éditions Calligram.

- *Les droits et les devoirs*, Brigitte Labbé et Pierre-François Dupont-Beurier, Les goûters Philo, Éditions Milan.

- *Le respect et le mépris*, Brigitte Labbé et Michel Puech, Les goûters Philo, Éditions Milan.

- *Dis papi, pourquoi je ne peux pas faire ce que je veux?* Oscar Brenifier et Delphine Durand, Nathan.

Obéir, oui, mais à quoi, pour qui, pour quoi ?

«Obéissance»: beaucoup de parents aujourd'hui ont du mal avec ce mot. Ils ont si peur de traumatiser leurs bambins qu'ils sont parfois prêts à museler leur propre volonté et à les laisser faire n'importe quoi. Parce qu'ils croient qu'un tyran se dissimule derrière chaque ordre donné. «Moi un dictateur? Jamais!» Ils confondent autorité et autoritarisme. Ils sont à 100 % pour la démocratie domestique: dans ma famille, parents et enfants, tous égaux!

? Ce qui se passe

Chez les uns, une petite Juliette de 5 ans décrète qu'elle préfère aller chez Tata Françoise que chez Mamina à Noël, parce que chez elle il y a des chats et que ses patates sautées sont bien meilleures…

Chez les autres, Gaston, Fabien et Jules, regardent un feuilleton, pendant que leur mère suit le journal télévisé chez la voisine…

Ici, Lou dort dans le lit avec maman tandis que papa somnole sur le canapé…

Là, Enzo continue d'insister pour avoir un nouvel ordinateur, alors que sa mère, au chômage, vient de lui expliquer

* Avoir 100 % de son attention

Ce que vous avez à lui dire est important, alors accordez-lui de l'importance. Votre enfant ne joue pas, il ne court pas, il ne regarde pas la télé pendant que vous parlez : il vous écoute. Placez-le en face de vous et parlez-lui en le regardant dans les yeux. S'ils sont plusieurs, parlez tout en fixant chacun de vos enfants à tour de rôle. Si votre enfant est petit, baissez-vous de façon à avoir votre regard à hauteur du sien. Le contact visuel est capital. L'enfant écoute aussi avec les yeux.

* Expliquer sans justifier

Nul besoin d'entrer dans de grandes explications. L'adulte n'a pas à justifier ses décisions. Mais il ne doit pas non plus s'attendre à ce que son enfant « devine » ce qu'il doit faire ou se « souvienne » que vous lui avez demandé ce matin de ranger sa chambre ! Bannissez les « s'il te plaît », « pour me faire plaisir », « sois gentil »… L'enfant ne doit pas obéir pour faire plaisir à ses parents ; on n'est pas dans un rapport de séduction, mais dans une relation d'autorité. Exprimez clairement ce que vous attendez de lui : « Sasha, je te demande de ranger ta chambre. » Expliquez pourquoi. L'enfant fera plus volontiers quelque chose s'il comprend qu'elle a du sens. Et c'est tout.

Ce que je ne veux plus entendre...

*« Quand je le gronde,
j'ai l'impression qu'il ne m'aime pas. »*

* Porter le bon masque

Si l'enfant écoute avec ses yeux, l'adulte parle avec son corps. Adoptez donc une attitude corporelle et un ton différents. Laissez les sourires pour les câlins et les félicitations. L'enjeu est sérieux, surtout si l'enfant rechigne à faire ce que vous lui avez demandé. Ton ferme, expression sérieuse, voire fâchée quand il a poussé le bouchon trop loin. Si vous avez l'habitude de parler fort, baissez d'un décibel, et faites l'inverse si vous vous exprimez doucement, sans vous mettre à hurler bien sûr !
Si vous travaillez « le masque » d'une manière récurrente, l'enfant prendra l'habitude de le décoder et vous aurez de plus en plus de facilité à vous faire obéir.

* Être cohérent

Sachez que l'enfant testera toujours l'élasticité des limites que vous posez. Si vous lui ordonnez de ranger sa chambre là, maintenant, et qu'en réalité ça peut attendre le

11

lendemain, ou que, finalement, vous allez lui donner un petit coup de main, voire la ranger vous-même parce que « ça ira plus vite », n'espérez pas qu'il obtempère. Il a flairé la faille, il sait que sa résistance à vous obéir ne portera pas à conséquence, mieux, que vous allez enfin lui retrouver sa voiture de pompier dans le bazar !

* Être constant

Ce qu'il y a de plus difficile, c'est de ne pas lui demander un jour de mettre son pyjama avant le dîner, et le lendemain l'inverse. Alors, pour limiter vos défaillances, limitez les règles.

Ce que je ne veux plus entendre...

« J'ai beau lui répéter, il n'obéit jamais. »

 Règles et limites, pour quoi faire ?

D'abord, vous interdisez pour le protéger : on ne court pas dans la rue, on ne goûte pas le produit de lessive, on ne se penche pas à la fenêtre... Vous n'hésitez pas à crier dans la rue, vous l'attrapez, vous lui dites « non ! » et votre peur est telle que votre ton le stoppe tout de suite dans son élan. Vous le faites instinctivement parce que sa vie est en danger.

Peu à peu, l'enfant intègre que ces interdits le protègent, il est rassuré, il a confiance en ses parents.

Les règles reposent également sur l'hygiène : on ne va pas se coucher sans s'être lavé les dents ; sur la socialisation : on dit bonjour, merci, etc. Et là, ça devient un peu plus compliqué, car l'enfant ne comprend pas que se laver

Le sentiment de toute-puissance

« Je suis le roi du monde. » Tous les enfants sont naturellement égocentriques et possessifs. Tous les enfants savent qu'ils sont faibles, perdus, sans les grandes personnes, et enragent d'être si dépendants. Il leur faut l'aide d'un adulte pour ouvrir une porte, aller au square, tenir une cuiller… Ces petits êtres fragiles et adorables ont soif de se mesurer aux grands, de prendre le pouvoir, c'est normal, et un besoin viscéral de trouver une opposition. Cette opposition, c'est votre rôle. Si, dès leur plus jeune âge, ils n'ont pas eu face à eux une attitude ferme en la personne de l'adulte, les petits anges se chargeront de faire de son quotidien un enfer.

C'est tout bon

- S'exprimer brièvement avec des mots qu'il comprend.
- Lui parler les yeux dans les yeux.
- Le féliciter quand il a obéi.

C'est tout faux

- Faire à sa place ce que vous lui avez demandé.
- Jusqu'à ses 10 ans, accepter de négocier avec lui.
- Contredire ou minimiser une consigne donnée par votre conjoint.

Mot d'ordre

Pas d'éducation
sans conflit !

À chaque âge sa capacité à obéir

« Arrête ! Je t'ai dit cent fois de ne pas toucher ! »
Si Luna avait 5 ans, elle saurait, à la grosse voix fâchée, qu'elle a encore désobéi à sa maman et peut-être arrêterait-elle de tripoter le fil de la lampe du salon. Mais voilà, Luna n'a que 2 ans et demi et il lui est tout simplement impossible d'obéir : elle a l'âge auquel on part à la découverte du monde avec ses mains. Ça tombe sous le sens : on ne peut exiger d'un enfant ce qu'il ne peut donner. Et pourtant, et pourtant… certains parents mettent la barre trop haut et attendent l'impossible de leurs enfants.

? Du général au particulier

Vous allez découvrir les étapes générales de développement chez l'enfant. Même s'il y a des apprentissages et des acquis par tranches d'âges, c'est un individu unique qui suit sa propre évolution. Les comportements des enfants d'une même fratrie divergeront face à des règles communes. Chacun a sa personnalité et sa capacité à intégrer les limites qui lui sont posées. Est-il naturellement souple… ou pas ? Est-il sociable ? curieux ? lent ? peureux ? coléreux ? Vous voyez, l'éducation est complexe, elle dépend du tempérament de l'enfant en interaction avec

On peut :

- Lui donner de petites responsabilités, comme arroser les plantes, laver la voiture, vider le lave-vaisselle, sortir le chien, etc.
- Exiger que la salle de bain soit propre après son passage.
- Le laisser seul quelques heures (s'il se sent prêt).
- Attendre de lui qu'il se prenne en main pour les devoirs.
- Exiger de lui qu'il tienne sa langue pour ne pas être blessant.
- Redéfinir avec lui les règles familiales.

On ne peut pas encore :

- Lui demander de s'occuper de son petit frère toute une soirée (il faudra attendre qu'il ait l'âge de faire du baby-sitting !).
- Le laisser livré à lui-même toute une journée.
- Accepter qu'il s'enferme dans sa chambre plusieurs heures d'affilée.
- Bref, baisser la garde, car gare à l'adolescent rebelle qui arrive à grandes foulées !

Mot d'ordre

Quel que soit son âge, l'enfant ne décide pas à quelle heure il va se coucher.

Gardez les yeux ouverts !

Il a 12 ans, il est grand et autonome. Il a moins besoin de vous, et vous soufflez enfin ! À vous les soirées tranquilles, les échappées shopping. Attention à la somnolence ! En baissant la garde, vous lui donnez l'impression de vous désintéresser de lui. Et soudain, il est mû par des attitudes réfractaires, des sautes d'humeur, et les bêtises se profilent à l'horizon…

 ## Dès tout petit, le bon pli !

C'est bien connu, plus tôt on s'y prend, moins on rame après pour lui inculquer les bonnes habitudes. Les enfants adorent la routine… L'histoire avant le coucher, le câlin du matin, la chanson dans le bain, tous ces petits rituels rassurent et installent l'enfant dans de bons réflexes. Mais cela exige beaucoup de rigueur de la part des parents, qui ne doivent jamais faire exception à certaines règles. L'enfant ne comprend pas ce qu'est une « exception ». Pour lui, c'est la preuve qu'il peut agir différemment. D'où la nécessité de limiter les règles, de les définir clairement et de ne jamais transgresser. Si vous êtes obligé de bousculer vos habitudes et les règles qui vont avec, prévenez-le. S'il aime la routine, le petit enfant déteste l'improvisation. Logique, non ? Donc, pour éviter une colère totalement justifiée de sa part, évitez de changer le programme du dimanche à la dernière minute, sans lui en avoir parlé en amont. De même, ne lui annoncez pas que vous avez décidé là, maintenant, d'aller faire des courses avec lui alors qu'il est concentré à jouer. C'est comme s'il venait vous obliger à lui lire une histoire alors que vous êtes en train de travailler sur un dossier important.

* Les cinq rituels des petits

À vous de les moduler, de les enrichir, de les adapter à vos valeurs, us et coutumes !

Bonjour la journée !

On se lève avec le câlin. On s'habille, on fait sa toilette, on prend son petit déjeuner, on débarrasse sa tasse, on se lave les dents, on s'habille…

Mot d'ordre

Persévérance et cohérence dans les règles !

Qu'est-ce que l'on fait après avoir joué ?

On range les jouets avec maman ou papa.

À table !

On se lave les mains avant de passer à table. En mangeant, on ne crie pas, on ne joue pas, on se comporte bien.

Quand on veut quelque chose ?
On dit « s'il te plaît », puis « merci ».

Au lit !
On se lave les dents, on fait pipi, on écoute une histoire, on fait un câlin et bonne nuit !

Les cinq commandements des grands

- Tu prends soin de toi.
- Tu ranges tes affaires.
- Tu respectes les horaires.
- Tu es poli.
- Tu dis la vérité.

Pour être convaincant, soyez convaincu

- L'enfant a profondément envie d'être obéissant.
- Un enfant qui désobéit a mauvaise conscience.
- Féliciter son enfant quand il fait des efforts ou qu'il se comporte correctement le dissuade de désobéir pour attirer l'attention.
- La générosité et l'altruisme ne sont pas innés.
- À partir de 7 ans, un enfant est capable de raisonner, mais pas de décider ce qui est bon pour lui.

C'est tout bon

- Avoir confiance en sa capacité à vous obéir.

- Calmer sa colère quand elle est dirigée
contre lui-même.

- Lui répéter la consigne tant qu'il ne l'a pas intégrée.

C'est tout faux

- Exiger de lui des choses qui ne sont pas de son âge.

- Essayer de lui faire entendre raison
quand il est en colère.

Adoptez le perroquet qui est en vous

« J'en ai marre de répéter tout le temps la même chose... »
Et pourtant, pour que l'habitude s'ancre, il va falloir répéter et
répéter la consigne jusqu'à ce qu'elle devienne mécanique.
Combien de temps ? Des années parfois. J'ai vu des enfants de
11 ans « oublier » de se laver les dents avant d'aller au lit... et
même certaines mamans, trop fatiguées, se coucher sans s'être
démaquillées.

Le respect, kesako ?

À la fois droit et devoir, le respect est l'une des valeurs fondamentales de l'être humain. Il intègre les dimensions sociale,
religieuse, culturelle et familiale. Il est au cœur de toute mission éducative. Au début, l'enfant en subit les lois comme des
contraintes. Le rôle des parents est qu'il intériorise ces valeurs :
qu'il ne fasse plus les choses sous le regard de l'autre, mais
sous son propre regard. Quel beau programme !

 ## Apprenez-lui à dire aussi bien oui que non

Très vite, vous devrez faire comprendre à votre enfant que
son corps lui appartient, qu'il faut en prendre soin, le respecter et le faire respecter par les autres, adultes et petits
copains compris. Petit à petit, l'enfant va construire ses
limites intérieures, apprendre à refuser ce qu'il ne veut
pas faire, ce qui touche à son intégrité, et ça n'a rien
à voir avec son refus d'obtempérer à la maison ! C'est
dehors que ça se passe. Ça commence dans la cour
de la maternelle, quand Kevin force Mathieu à voler la
craie de la maîtresse… puis à cracher sur Léa… puis à lui
donner son goûter, son argent de poche, son portable…
puis… puis… Soyez à l'écoute ! Sachez déceler dans un
babillage, ou entre des silences, ce qu'il vous cache
et aidez-le à révéler ses soucis tout en douceur, et sans

dramatiser ! Surtout, laissez dormir le super-parent protec-teur qui sommeille en vous, ne courez pas incendier les procréateurs du caïd aux dents de lait, sauf en cas de récidive ou de problème grave. C'est en mesurant sa volonté aux autres et en trouvant en lui-même les moyens de dire non que votre enfant apprend à se faire respecter. Votre rôle ? L'écouter, l'encourager et lui faire confiance !

Mot d'ordre

On ne fait pas des choses contre sa volonté pour se faire aimer.

* L'enfant respecte ses parents... leur intimité et le temps qu'ils s'offrent

Même s'il est naturellement jaloux, l'enfant doit accepter que ses parents aient une vie à eux. Qu'ils ont besoin de dormir, de se retrouver seuls dans leur lit, de lire un livre, de regarder la télévision ou de prendre un bain sans être dérangés. Il est tout à fait normal qu'il tente de gagner du terrain, s'immisce sous la couette conjugale, écoute der-rière la porte les conversations, grogne ou fulmine quand ses parents sortent sans lui. Mais il est aussi capital que ces der-niers ne le laissent pas envahir leur espace intime.

Mot d'ordre

L'heure des parents est aussi sacrée que l'heure des enfants !

* L'enfant respecte les autres adultes

On ne tape pas, on ne tire pas la langue. On dit « bonjour »
quand on les croise, « s'il te plaît » quand on veut quelque
chose, « merci » quand on l'obtient. On se tient correctement devant les adultes, on ne gigote pas comme un
asticot en ricanant. On les regarde dans les yeux, on ne
leur coupe pas la parole à tout bout de champ... et on
les laisse entre eux quand ils le demandent.

Ce que je ne veux plus entendre...
« S'il ne dit pas bonjour, c'est parce qu'il est timide. »

* L'enfant respecte les autres enfants

On ne mord pas, on n'insulte pas, on ne pique pas la
poupée de sa voisine. On apprend à partager, à prêter
ses jouets (quand on a l'âge de le faire). On ne se coalise
pas à plusieurs contre un plus faible. On ne critique pas
la différence. On peut rire de la bêtise, mais jamais du
physique d'une autre personne, grande ou petite : on ne
traite pas Manon de « grosse baleine » et on ne dit pas
de Jules qu'il a le visage sale parce qu'il a des taches de
rousseur...

* L'enfant respecte l'espace dans lequel il vit

On ramasse les chaussettes sales sur son lit. On ne jette pas de papiers dans la rue. On ne piétine pas les fleurs du jardin. On n'abandonne pas le tube de dentifrice dégoulinant à côté du lavabo. On n'écrase pas son biscuit tout collant dans la poche de son blouson, parce que c'est la machine à laver qui ne va pas être contente !

Mot d'ordre

Domptez le caïd qui est en lui !

Ce que je ne veux plus entendre...

« Je vais le faire, ça ira plus vite. »

* L'enfant respecte l'espace des autres

On ne fouille pas dans les armoires de papa. On ne pénètre pas dans le bureau de maman. On ne fouille pas dans la caisse à jouets de son frère. On ne lit pas les mails de sa grande sœur.

* L'enfant respecte la loi

On met sa ceinture de sécurité dans la voiture. On traverse quand le feu est vert pour les piétons. On ne boit pas d'alcool tant que l'on est mineur. Ayez recours à la loi républicaine dès que c'est possible et n'hésitez pas à assener quelques bons vieux dogmes dans le cadre familial.

Mot d'ordre

Ne dites plus :
« Je t'ai demandé de te brosser les dents » ; mais :
« Un enfant ne se couche pas sans s'être brossé les dents ! »

Les cinq devoirs des parents

- Être à l'écoute des besoins de son enfant, entendre ses désirs, même s'ils ne sont pas toujours exaucés.
- Lui parler correctement, ne le blesser ni physiquement ni verbalement.
- Préserver son amour-propre devant les autres.
- Lui consacrer du temps « vrai ».
- Toujours faire ce qui lui a été promis.

Mot d'ordre

Pour vous faire respecter, respectez-le !

Mot d'ordre

N'acceptez jamais qu'il vous manque de respect.

Donnez l'exemple

Se respecter soi-même, respecter son conjoint, respecter ses propres parents, être poli à l'égard des autres… c'est plus facile à inculquer quand on incarne ces valeurs. Il est paradoxal de le gronder quand il dit un gros mot si vous assaisonnez votre langage de grossièretés ; difficile de lui demander d'être à l'heure si vous êtes toujours en retard ; impossible de vous faire respecter si vous n'arrêtez pas de critiquer votre propre mère devant lui.

Pas de reproches en public

Sauf infraction exceptionnelle, attitude dangereuse ou vraiment insupportable, car la réprimande en public est toujours une grande humiliation pour l'enfant.

Pour être convaincant, soyez convaincu

- Un enfant qui se sent aimé et respecté acceptera plus facilement les contraintes.
- Un enfant doit respecter la vie de couple de ses parents.
- Un enfant n'empêche pas ses parents de sortir ou d'avoir des moments d'intimité à la maison.

C'est tout bon

- Tenir les promesses qu'on lui a faites.

- S'octroyer une grasse matinée le dimanche matin.

- Lui offrir *Les Petits Goûters philo*
  et *Les Droits et les Devoirs,* aux éditions Milan.

C'est tout faux

- Exiger de lui ce que vous ne faites pas vous-même.

- Lui dire qu'il est « chiant » ou qu'il est nul en maths.

- Révéler les secrets qu'il vous
  a confiés.

Mot d'ordre

Critiquez l'acte,
jamais l'enfant !

Quelle sorte de parent êtes-vous ?

Voici quelques portraits, forcément un peu caricaturaux, de parents en pleine réflexion éducative. L'exercice n'est pas tant que vous vous reconnaissiez dans l'un ou l'autre de ces exemples, mais que vous vous interrogiez sur vos comportements et sur l'éducation que vous donnez à vos enfants.

Ce que revendique le parent super-cool

« Chez moi, pas de cris, pas de vagues, ça roule, chacun vit à son rythme. Les gosses mangent s'ils ont faim, vont dormir quand ils ont sommeil. Nous, à la maison, on propose, mais on n'impose rien. Il ne veut pas aller à son cours de tennis, même si on l'a inscrit ? Et alors, où est le problème ? Il aura bien assez le temps de s'enquiquiner avec des responsabilités quand il sera adulte. »

* Ce qui se passe

L'enfant se sent tout-puissant, puisqu'il n'y a pas de limites et qu'il fait absolument tout ce qu'il veut, quand il le veut. Pas de cadre extérieur égale bazar intérieur. En proie à des désirs contradictoires, il devient infernal, provoquant ses parents, cherchant un mur assez solide pour résister

et moi je ne suis pas un parent démissionnaire, je veux des enfants bien élevés, des enfants qui filent droit. »

* Ce qui se passe

L'enfant est... beaucoup trop obéissant! Il a peur du parent autoritaire. Il se sent mal accepté, peu respecté. Il est poli, dit « bonjour » et « merci », travaille bien à l'école (quoique...), mais il est mal dans sa peau, et plus tard, il se peut qu'il développe des comportements névrotiques, qu'il soit maladivement timide ou qu'il s'oppose d'une façon exagérément violente à toute forme d'autorité, ou encore qu'il fasse des bêtises proportionnelles à sa frustration.

* Ce qu'on peut faire

Commencer par admettre que l'on est trop rigide, même si je comprends bien que ce n'est pas facile. Assouplir les règles, laisser un espace de liberté et une petite porte à la transgression, qui, à petites doses, est toujours positive. C'est en faisant des erreurs et en subissant leurs conséquences que l'enfant se construit.

Mot d'ordre
C'est aussi par ses erreurs que l'enfant se construit.

À essayer

Choisir une journée dans l'agenda, une journée spéciale de vacances parentales, une « journée bleue », c'est-à-dire, sans contraintes, sans horaires de télévision, sans obligation de bain ou de rangements. Une journée festive, où les petits exceptionnellement choisissent le menu, où les grands laissent leur uniforme de parent dans l'armoire et jouent avec leurs enfants...

? Comment raisonne le parent ultra-communicant

« Un enfant, quel que soit son âge, est une personne qui comprend absolument tout. Pourquoi assener bêtement un "non" quand, par le raisonnement, on peut amener son enfant à ce qu'il adopte la bonne conduite ? Je lui explique qu'on va être en retard à l'école si elle regarde trop la télévision, ou que son organisme a besoin de vitamines B et que c'est pour ça qu'elle doit manger sa purée de carottes... Chez nous, le dialogue, ce n'est pas qu'une théorie, et ça marche. »

* Ce qui se passe

Expliquer le pourquoi du comment, c'est bien, mais s'attendre à ce que l'enfant obéisse en faisant uniquement appel à sa raison est une aberration. Un enfant de 3 ans, par exemple, n'est pas mentalement armé pour comprendre qu'il ne faut pas courir sur le trottoir parce qu'il peut trébucher et se faire renverser par une voiture. Plus grand, asphyxié par les mots, l'enfant n'écoutera plus, ou alors, il va adopter une résistance communicante, c'est-à-dire remettre en question chaque consigne, négocier, argumenter à n'en plus finir. Et j'aime autant vous dire que l'adulte en sort toujours perdant, parce que la volonté d'un enfant à le plier à ses désirs est dix fois plus puissante que celle du parent à lui refuser quelque chose.

Mot d'ordre

C'est à l'adulte d'entrer dans la logique de l'enfant, pas l'inverse.

* Ce qu'on peut faire

Inverser le discours. Ne pas expliquer avant de donner la consigne. Commencer par dire clairement ce qu'on attend de l'enfant en se mettant dans la position de celui qui a l'autorité. Utiliser la première personne du singulier. Au lieu de : « Tu te rends compte ? On va être en retard à l'école si tu regardes la télévision » ; cela donne : « Non, je ne veux pas que tu regardes la télévision. On va être en retard à l'école. Pas de télé, ma chérie. » Ne pas hésiter à répéter la consigne après l'explication, qui, pour être claire, doit être le plus concise possible.

À essayer

De temps en temps, formuler simplement l'ordre ou l'interdit. Et n'expliquer les motifs de l'interdit que si l'enfant demande pourquoi. Vous serez surpris de constater que parfois l'enfant obtempère sans rien demander…

? Comment s'explique le parent girouette

« Normalement, il n'a pas le droit d'aller sur Internet le dimanche matin, mais l'autre dimanche, comme on était sortis tard la veille, ben… quand il a allumé l'ordinateur, on n'a rien dit, vu qu'on était un peu fatigués. Alors, comme on se sentait un peu coupables, sa mère et moi, on l'a privé de chips avant le repas, ce qu'on ne fait pas d'habitude, c'est vrai, mais il fallait bien qu'il sente qu'on ne dit pas oui à tout, qu'il ne peut pas faire n'importe quoi, se bourrer de chips et ne rien avaler à midi. »

* Ce qui se passe

Un jour c'est oui, un jour c'est non ; l'enfant est totalement largué. Pas surprenant qu'il pique des crises ou hausse les épaules à chaque fois que ses parents lui fixent un interdit, qui finalement n'en est pas vraiment un. L'enfant n'a aucun repère, aucune confiance en l'adulte, et adoptera souvent une attitude méprisante à l'égard de ses parents.

* Ce qu'on peut faire

Cap sur la cohérence ! Pour se faire obéir, on le sait, il faut édicter des règles claires et s'y tenir. Commencez par un diagnostic de vos ballottages en vous observant pendant quelques jours. Si, par exemple, vous constatez que vous lâchez la garde quand vous êtes fatigué ou stressé, anticipez votre défaillance en annonçant au préalable à votre progéniture que, à titre exceptionnel, vous levez l'interdiction. Ou alors, respirez un bon coup, soyez fort et maintenez le cap ! Oui, vous pouvez y arriver !

Ce que je ne veux plus entendre...

*« Il est assez intelligent
pour comprendre tout seul. »*

À essayer

Vous êtes en couple? Passez-vous le ballon! Si, pour cause de stress exceptionnel, gros boulot ou mutation, l'un des deux se sent en perte de vigilance parentale, il peut demander à l'autre de redoubler la sienne pendant une période déterminée… en tenant les enfants informés que pendant une semaine c'est papa qui s'occupe du coucher parce que maman est débordée. Il est toujours bon d'exprimer, sans les dramatiser, ses émotions.

Ce que raconte le parent pote

« On se marre bien, on joue au foot, à la Wii®, on délire. Des fois je l'emmène en virée avec les copains, bon, sa mère n'est pas toujours d'accord parce qu'on rentre un peu tard et qu'il y a école le lendemain, mais on a une vraie complicité, mon fils et moi. Il est très mûr pour son âge, je vous l'ai dit? J'ai jamais eu besoin de hausser le ton avec lui. Cela dit, quand il veut un truc, il ne lâche rien! Un vrai bouledogue, mon fils… Il m'appelle par mon prénom? Ça ne me gêne pas, non. »

✳ Ce qui se passe

Un enfant n'a pas besoin d'avoir un copain de plus… il a besoin d'un père ! Il vit sous le toit de ses « copains », pas étonnant qu'il soit intrusif dans leur vie, qu'il se mêle de leurs conversations, qu'il décide du film que l'on va aller voir, qu'il change d'avis tout le temps parce que ce n'est pas simple d'être le pote de ses parents quand on a 10 ans. Lorsque, rarement, on lui résiste, il n'est pas content, râle, boude, devient impossible… Tyrannique, un brin péremptoire, il a par ailleurs des problèmes avec l'autorité, il supporte mal l'école et il n'aime se retrouver ni avec des enfants (c'est tellement mieux un copain adulte !) ni avec d'autres adultes (c'est tellement « casse-pieds » un adulte qui a de l'autorité !).

✳ Ce qu'on peut faire

Il est temps de replacer les pions sur l'échiquier familial : chacun à sa place. Et de se préparer à quelques conflits. Choisir un moment où l'on est psychologiquement fort, physiquement reposé et totalement convaincu pour changer son comportement et redevenir un parent avec un peu d'autorité… Avertir lors d'une réunion familiale que la donne va changer. Définir clairement le nouveau règlement de la maison. Refuser toute négociation.
Puis travailler sur soi : respecter les horaires de sommeil et de repas de son enfant ; ne pas céder au chantage

affectif ; résister à l'envie de lui raconter ses soucis et à celle de lui faire plaisir systématiquement.

Ce que je ne veux plus entendre...

« Il va croire qu'on ne l'aime plus. »

Des bienfaits de la frustration à dose homéopathique

« Je veux une nouvelle petite voiture, je l'ai ; je veux regarder la télé, je peux ; je veux aller au cinéma, j'y vais ; je suis petit et j'ai tout ce que je veux... » « Je veux une Aston Martin, je n'ai pas les moyens ; je veux un boulot bien rémunéré, je n'en trouve pas. Adulte, je m'aperçois que je n'obtiens pas tout ce que je veux. » Et c'est une horrible souffrance. En ne satisfaisant pas tous les désirs de votre enfant, vous aidez l'adulte qu'il sera demain à gérer des frustrations inévitables. Il ne s'agit pas de tout lui interdire mais juste ce qu'il faut pour qu'il supporte, maîtrise et dépasse ses frustrations.

C'est tout bon

- Ne pas lui offrir tout ce qu'il veut.
- Réfléchir aux règles avant de les formuler.
- Adapter les règles à ses capacités.

C'est tout faux

- Lui imposer trop de règles.
- Ne lui imposer aucune règle.
- Le laisser décider de la vie familiale.

Pour être convaincant, soyez convaincu

- On ne peut pas demander à un enfant une obéissance permanente.
- On ne peut pas demander à un enfant de raisonner comme un adulte.
- On ne peut pas demander à un enfant de respecter des règles qui changent tout le temps.
- On ne peut pas demander à un enfant d'obéir à ses parents s'ils le traitent comme un copain.

Transgression = sanction, tenez bon!

Vous êtes fin prêt à retendre les fils de votre autorité... mais voilà, ce n'est pas tout de le décider, encore faut-il le faire! Avec amour, calme et conviction. Plus vous serez inflexible, plus vous ferez preuve de constance, plus le ciel se dégagera à la maison. Si les sanctions sont appliquées d'une façon juste et systématique, les cumulus-transgressions se feront de plus en plus rares. À vous les repas sans hurlements, les mises au dodo sereines et le dialogue libéré de tout conflit avec les plus grands!

Ce qui se passe

Vous avez défini une règle et la sanction qui va avec en cas d'infraction. Vous vous êtes assuré que votre enfant est en mesure de l'entendre et de la comprendre à son âge : je ne fais pas mes devoirs = je ne regarde pas la télé ; je continue de frapper ma petite sœur = je n'ai pas de glace ; je n'arrête pas (de hurler, de taper, de quémander, d'insulter) = je suis isolé. Mais comme d'habitude vous menacez et ne sanctionnez pas, ou vous expliquez pendant des heures le pourquoi il faut être gentil avec sa petite sœur, ou gentil tout court, vos paroles n'ont absolument aucun poids et ne modifient en rien son compor-

bercez, où il sent que vous l'aimez très fort, et ce, quelle que soit la bêtise qu'il ait commise ! Pour les plus grands, c'est un moment aussi où l'on peut analyser sereinement ce qui s'est passé.

* Acte V : rideau !

On ne rabâche pas, on ne reparle pas de l'incident le lendemain, on oublie et on passe à autre chose !

Choisissez la punition ad hoc

Mot d'ordre

Quand c'est fini, c'est fini, motus et bouche cousue !

Priver un enfant d'un anniversaire avec ses copains parce qu'il a volé un cd dans un supermarché est justifié (sauf s'il a 4 ans ou moins). Appliquer la même punition s'il a cassé, même délibérément, la maison de poupée de sa sœur l'est moins. Les punitions « lourdes » sont difficiles à appliquer, parce que, pour être dissuasives, il faut qu'elles touchent juste. Elles doivent priver un enfant d'un vrai plaisir, ce qui génère en lui révolte ou soumission. Elles sont donc à utiliser avec parcimonie et uniquement lorsque le comportement de l'enfant est vraiment inacceptable. Par ailleurs, l'enfant doit être conscient qu'il commet une faute et qu'il prend le risque de se faire punir.

La chaise à calmer les colères

Une des meilleures manières de contrecarrer une attitude rebelle ou arrogante est de mettre l'enfant à l'écart, de l'isoler en terrain neutre, sur un terrain de « décolérisation », qui est aussi un sas de décompression pour les parents aux nerfs malmenés. Pour les petits de 2 à 6 ans, on peut imaginer de placer une chaise dans un coin, où l'on va faire asseoir l'enfant jusqu'à ce qu'il se calme ou pendant un laps de temps matérialisé par un minuteur. On peut compter une minute par année de l'enfant. Règle d'or : tant qu'il ne s'est pas vraiment calmé, il reste sur sa chaise. Pour les plus grands, leur chambre est un bon endroit où les isoler, pour peu qu'il n'y ait ni téléviseur ni ordinateur en état de marche.

Je fais des âneries, donc je suis

Beaucoup d'enfants comprennent, inconsciemment bien sûr, que leurs parents leur prêtent plus d'attention quand ils sont désobéissants. Ils préfèrent alors déclencher leur colère que leur indifférence. Pour inverser la tendance, soyez plus attentif à leurs efforts pour vous obéir, extasiez-vous quand ils sont sages et rendez-vous imperméable à leurs provocations.

C'est tout bon

- Le féliciter s'il obéit en saisissant ses trois chances.
- Rester calme quand il s'énerve.
- Ne pas lui reparler de sa faute après l'avoir puni.

C'est tout faux

- Ne pas appliquer la sanction annoncée.
- Le punir une heure après qu'il a désobéi.
- Rester près de lui quand on l'a isolé

Mot d'ordre

Parlez-lui de ce qu'il fait bien plutôt que de ce qu'il fait mal.

Pour être convaincant, soyez convaincu

- Sanctionner son enfant quand il le mérite est une preuve d'amour.
- Crier pour se faire obéir ne sert à rien.
- C'est celui qui punit et lui seul qui lève la sanction.

Il dit non à tout

Votre enfant dit non ? Il va bien, merci ! On le sait, on le dit, on le serine, l'enfant se construit dans l'opposition. C'est peut-être les parents qui vont moins bien… Savent-ils dire non, eux ? Ou ne savent-ils dire que ça ? Et comment est-il, le « non » des parents ? Ferme, rare et intransigeant, ou mollasson, répétitif, voire indifférent ?

Ce qui se passe

Il dit non, mais il n'a plus 2 ans, l'âge où c'est normal et structurant. Maintenant, il a plus de 4 ans, peut-être même 10, et il dit non à tout bout de champ. C'est-à-dire qu'il refuse à peu près toute contrainte. Impossible de le faire obéir et collaborer. Il est en état d'opposition permanent, et votre relation se décline en conflits, cris et compagnie. Tous les jours, tous les soirs, c'est la bagarre. Impossible de lui faire entendre raison. Épuisant.

La plupart du temps, les parents renoncent, essaient vainement de le raisonner ou s'énervent. Quoi qu'il en soit, c'est une abdication. L'enfant a le sentiment d'avoir « gagné », d'être le plus fort, mais, contrairement aux apparences, ce sentiment n'a rien de satisfaisant pour lui, ça l'angoisse. C'est pourquoi il vous rejoue la scène jour après jour, en quête de limites… que vous allez construire dès à présent !

Économisez vos « nons » !

Un « non » qui se fait rare est bien plus efficace que des « non » répétés à n'en plus finir, et qui parfois veulent dire, « non, peut-être », « non, mais finalement oui », « non, mais je m'en moque ». Alors variez les plaisirs, faites valser les synonymes, dites : « Stop ! Arrête ! Interdit ! Halte, là ! Pas question ! Quand l'enfant commence à dialoguer, optez pour des phrases brèves ; à « je veux un gâteau », répondez : « Ce n'est pas encore l'heure du goûter », par exemple, et gardez vos précieux « non » pour les choses importantes… et sans appel.

Mot d'ordre

Pour être validé par Super Nanny, un « non » ne doit pas être mou du genou !

Ces parents qui n'arrivent pas à dire non

Un enfant qui dirait oui tout le temps serait très inquiétant, n'est-ce pas ? Alors pourquoi ne s'inquiète-t-on pas des parents qui ne disent jamais non ? Pourquoi est-ce si difficile pour eux de s'opposer à leur progéniture ? Pourquoi un « non » constructif et légitime posé à un enfant plonge-t-il la plupart des adultes dans la culpabilité ? Dire non, ce n'est pas faire preuve de non-amour, d'intransigeance ou de rigidité, c'est planter des tuteurs dans le terreau de l'enfance. C'est de la frustration positive. Éduquer son enfant dans la permissivité totale, c'est le tromper sur la vie. C'est lui ôter les armes qui vont lui permettre de maîtriser ses pulsions, d'apprivoiser sa frustration... et c'est lui rendre ardue son arrivée dans le monde adulte.

Parce que finalement le but, c'est bien ça, non? Préparer nos enfants à devenir des adultes responsables et aimants, qui considèrent leur enfance comme le jardin du bonheur plutôt qu'un paradis illusoire, à jamais perdu. Vous pensez que, à l'âge adulte, ils vous seront reconnaissants de leur avoir tout permis, tout donné? Je vous le dis calmement, fermement : non.

Pour être convaincant, soyez convaincu

- Un enfant peut dire non en pensant « oui ».
- On ne peut pas attendre d'un enfant qu'il dise tout le temps oui.
- Un adulte qui n'ose jamais dire non ne rend pas service à son enfant.
- Un adulte ne doit pas céder aux caprices de ses enfants.
- Tant que le parent n'adopte pas une attitude ferme, le comportement négatif de l'enfant persistera.

C'est tout bon

- Oser lui dire non.

- Parler du « problème » avec les plus grands hors du moment de conflit.

- Refuser toute discussion avec les plus petits.

C'est tout faux

- Changer d'avis ou ses plans parce qu'il vous dit non.

- Lui dire non sans lui expliquer pourquoi.

- Faire des menaces en l'air.

- Le supplier avec des « s'il te plaît… pour me faire plaisir ».

- Lui proposer une récompense pour qu'il cède.

Ce que je ne veux plus entendre…

« Après tout ce que j'ai fait pour lui… »

Il répond « oui », mais il ne fait pas ce qu'on lui dit

Quel enfant adorable ! « Oui, maman » ; « bien sûr, papa, je vais le faire ! » Il sourit quand on lui demande quelque chose, acquiesce docilement, allant jusqu'à feindre l'enthousiasme à la perspective de ranger sa chambre… Mais à l'heure de passer à l'acte, rien. Il n'obéit tout simplement jamais.

 ## Ce qui se passe

Quel comédien ! Si tous les enfants sont un rien manipulateurs, il a bien assimilé, lui, que rien ne servait de contrarier ses parents pour obtenir quelque chose. Il lui suffit de prononcer le petit mot qui endort leur méfiance, le « oui » magique, et de simuler l'attitude que ses parents attendent pour avoir la paix… et pour faire tout ce qu'il veut dans leur dos. Il fait semblant d'obéir. On lui a interdit de sortir ? Il dit oui et il sort. Il n'a pas le droit de manger des biscuits avant le dîner ? Il dit oui et il les mange. Il doit faire ses devoirs avant de regarder la télé ? « Oui, bien sûr » ; il ne les fait pas… Et quand ses parents s'en étonnent, voire se fâchent, il pose sur eux un regard limpide. Désobéir ne lui pose aucun problème. Pire, il n'éprouve aucune mauvaise conscience. La voix de ses parents glisse sur lui comme la pluie sur son ciré. Il ne les prend

méthode « redéfinition de la règle, annonce de la sanction, action ! » Ici, les trois avertissements me semblent facultatifs, tant il me paraît urgent de consolider l'autorité des parents. Il n'obéit pas ? Ne mollissez pas, appliquez la sanction illico presto. Et s'il continue à faire l'acteur, persistez à le sanctionner et inscrivez-le à un cours de théâtre !

* **Gare aux menaces en l'air !**

Totalement inutiles si elles ne sont pas mises à exécution… et votre crédibilité, déjà bien affaiblie, en prend un sacré coup. Alors évitez les « attention, je vais me fâcher ! » ou les « attends de voir quand on sera rentrés ! » Méfiez-vous surtout des menaces « baudruches », proférées sous le coup de la colère, totalement disproportionnées et inapplicables, telles que : « Si tu continues, tu n'auras pas de cadeau à ton anniversaire ! »

C'est tout bon

- Lui signifier que, à partir d'aujourd'hui, on ne laisse plus rien passer.

- Sanctionner à chaud dès qu'il désobéit.

C'est tout faux

- Minimiser sa désobéissance.

- Faire semblant de ne pas voir qu'il a désobéi.

Pour être convaincant, soyez convaincu

- Les enfants sont tous des manipulateurs.
- Les parents ne doivent pas se laisser manipuler par leurs enfants.
- Un enfant qui arrive à manipuler ses parents ne les respecte pas.
- Un enfant qui dit oui s'engage. S'il ne tient pas son engagement, il doit être sanctionné, même si son attitude n'est pas hostile.

Il fait semblant de ne pas entendre

Il ne dit ni oui ni non, mais il semble atteint de surdité chronique dès qu'il s'agit de quelque chose qui l'enquiquine. À chaque consigne formulée, il ferme les écoutilles et attend patiemment que ses parents s'épuisent en un déferlement de rappels inutiles, ou, frappés d'amnésie subite, qu'ils oublient ce qu'ils attendaient de lui. Et le pire, c'est que ça marche !

Ce qui se passe

Il applique la formule « pour vivre heureux, vivons cachés ». Dès que vous avez un ordre à lui donner, comme « c'est l'heure de se mettre en pyjama » ou « viens ranger ton puzzle sur la table du salon », il s'arrange pour ne pas être là, il vous file entre les pattes (il a un besoin urgent), ou alors il fait un truc hyper-important qui absorbe toute son attention (« *do not disturb*, maman ! »). Il sait que les règles sont mouvantes, les horaires fluctuants et votre autorité, poreuse. Ce que vous dites n'a donc absolument aucune importance.

Et c'est bien ça, votre problème. Si vous picorez dans ces carnets, je vous invite à lire le chapitre précédent, car l'enfant à la surdité sélective est une variante de l'enfant qui dit oui mais qui ne fait jamais ce qu'on lui dit.

Au détail près qu'à la stratégie de manipulation il préfère celle de la dérobade. Mais pour l'un comme pour l'autre, la parole des parents n'est pas respectée.

 Lors d'un nouveau comportement, les bonnes questions à se poser

C'est aux parents de faire entendre leur voix. Si l'enfant «n'entend» pas, c'est que les règles ne sont pas «audibles». Il ne s'agit pas de hurler, bien sûr, ni de palabrer à l'infini, mais de donner du poids à la parole de l'adulte.

Pour cela, je vous invite à relire le chapitre précédent. Et à vous poser les questions suivantes :

- Quand je lui demande quelque chose, suis-je bien convaincu qu'il va m'obéir, ou sais-je déjà qu'il n'en fera rien ?
- Les règles et les interdits sont-ils constants ?
- Dis-je non tout le temps ou une fois sur deux ?
- Où est-il quand je lui donne un ordre ?
- Est-ce que je l'écoute, moi ?
- L'ai-je déjà sanctionné quand il n'obéissait pas ?
- Est-ce que je veux vraiment que les choses changent ?
- Suis-je prêt, moi, à respecter une nouvelle ligne de conduite ?
- « Suis-je prêt à le contrarier, à provoquer sa colère ou ses larmes ?

• Suis-je prêt à redoubler d'attention affectueuse pendant la remise à niveau de mon autorité, c'est-à-dire par ailleurs à l'encourager, à le féliciter ?

 Limitez les règles

Changer votre comportement vous paraît insurmonta-ble, car il va falloir que vous commenciez par redoubler de vigilance… sur vous-même ! Allez-y pia-nissimo, focalisez-vous sur deux ou trois règles qui vous semblent incontour-nables et appliquez la méthode « je te le dis dans les yeux, je te le fais répéter, tu obtempères ou c'est la sanction ». Levez le pied sur les règles subalternes, que l'ambiance à la maison ne vire pas au camp de redressement ! N'oubliez pas clins d'œil complices, câlins et éloges pour qu'il se dise que « chic ! c'est drôlement plus agréable quand on obéit ! » Ne vous inquiétez pas, ça va très bien se passer, j'ai confiance !

Mot d'ordre

L'important, ce n'est pas ce qu'on lui dit, c'est comment on le lui dit.

 Entrez dans le jeu !

Un petit enfant qui joue ? Odorat, toucher, vue, ouïe… tous ses sens sont en alerte ! La voix des parents ? Une mouche qui vole, un ronron lointain, un bruit sans importance. Le petit enfant ne vous entend pas vraiment, son cerveau encore immature ne peut se concentrer que sur une chose à la fois. Inutile de hausser le ton et de vous fâcher, il est de bonne foi ! Donc, pour vous faire entendre, entrez dans le jeu, prenez la voix acidulée de la fée ou « vroum-vroumez » comme son camion de pompier : « Vroum, vroum ! pin-pon ! c'est l'heure du goûter ! » N'oubliez pas que pour lui « tout de suite » peut toujours attendre un petit moment. Donc anticipez si vous avez rendez-vous chez le pédiatre : « Tu as cinq minutes pour mettre ton manteau et tes chaussures. » Et utilisez le minuteur de la cuisine s'il aime faire la course contre la montre !

Mot d'ordre
Pas de changement sans effort des parents !

 Testez le cadeau surprise

Une petite expérience à tenter avec les plus grands (7 ans et plus). Après lui avoir demandé pour la énième fois de ramasser son cartable dans l'entrée et n'avoir obtenu pour toute réponse qu'un long silence – il est si occupé à jouer dans sa chambre ! –, proposez-lui, de l'endroit où vous vous trouvez, de l'emmener au cinéma découvrir ce film qu'il vous réclame de l'amener voir. S'il répond et arrive aussitôt, c'est qu'il n'est pas sourd… Oui, maman peut aussi avoir de l'humour !

L'humour, une bonne méthode éducative ?

Marchez sur des œufs avec les boutades et les mots d'esprit : l'enfant est susceptible par nature. Glissez une remarque malicieuse quand il est en colère, et il se sentira horriblement blessé.

Mais avoir recours à l'humour pour désamorcer un conflit ou mettre l'enfant face à ses contradictions est une excellente chose. Pour les petits, créez un alter ego désobéissant, rappelez-vous, Bébert la Grimace qui ne fait jamais ce qu'on lui dit, alors que Théo, lui, est l'enfant le plus sage de la galaxie (voir page 23) !

Mot d'ordre

Trop de blabla tue la consigne !

Quid des récompenses pour se faire obéir ?

Une récompense méritée, c'est-à-dire donnée pour gratifier un effort ou un meilleur comportement, est un bon moyen de galvaniser l'enfant dans son envie de persévérer et d'éviter quelques conflits.

Même si, je le répète, le conflit est nécessaire dans la relation parent-enfant. On ne va donc pas récompenser trop souvent : l'enfant doit avant tout obéir parce que c'est la loi de la famille.

Ne confondez pas récompense et chantage

- « Si tu arrêtes de crier, tu auras une glace. » Ça, c'est du chantage.
- « Quand tu auras terminé de balayer la cour, nous irons au manège. » Ça, c'est une récompense.

Ne confondez pas récompense et salaire

Pour qu'elle soit probante, la récompense doit rester exceptionnelle. On récompense un enfant pour un bon carnet trimestriel, pas pour ses notes quotidiennes.

On ne récompense pas un enfant parce qu'il aide ses parents aux tâches ménagères ou parce qu'il range sa chambre et se tient correctement à table.

On récompense un enfant si ce qu'on lui demande exige de lui un effort particulier.

Pour être convaincant, soyez convaincu

- Être entendu quand on parle, c'est être respecté.
- S'il n'entend pas, c'est que votre parole ne fait pas le poids.
- Une consigne donnée les yeux dans les yeux est plus efficace qu'une consigne donnée de loin.

C'est tout bon

- Lui faire copier vingt fois : « Je ne fais plus semblant de ne pas entendre ce que me demandent mes parents. »
- Attaquer la consigne en prononçant son prénom.
- L'informer de ce qu'il a à faire avant qu'il commence à jouer.

C'est tout faux

- Lui répéter dix fois la même chose sans sévir.
- Lui expliquer pourquoi ce n'est pas bien de ne pas écouter (il le sait !).
- Lui promettre une récompense dans trois mois ou l'année prochaine.

Pour être convaincant, soyez convaincu

- Aucun enfant n'a envie d'obéir spontanément.
- La récompense est une décision de l'adulte, pas une demande de l'enfant.
- Une récompense est plus efficace quand elle est donnée rapidement.

De « maman caca » (3 ans) à « gros nase » (12 ans), il insulte ses parents

L'enfant aime faire rouler les gros mots dans sa bouche. C'est un peu comme des bonbons interdits qu'il partage à l'école avec ses copains. De temps en temps, il en crache un au milieu de salon pour voir l'effet que ça fait sur ses parents. Même si les grossièretés sont à proscrire, elles ne prêtent pas à conséquence, elles font parties des expérimentations enfantines. En revanche, les insultes adressées aux adultes ne doivent être tolérées en aucune façon !

Ce qui se passe

L'enfant insulte, et les parents serrent les dents. Stoïques, héroïques, pathétiques. Ils haussent les épaules, ils minimisent, ils font les sourds. Ou alors ils tentent d'amadouer le cracheur de venin en lui expliquant, sans grande conviction que « ce n'est pas bien », qu'« il ne faut pas »… Pourquoi l'enfant continue-t-il ? Ou plutôt, pourquoi l'enfant ne continuerait-il pas ? Il n'y a aucune limite, aucune sanction, et ses parents se laissent injurier ! Pire, ils finissent par céder à toutes ses exigences ! Parfois, il leur arrive de répondre. Par d'autres insultes, par des cris et des claquements de porte. À aucun moment ils n'ont

77

un comportement d'adulte. À aucun moment ils ne font preuve d'autorité. Or, l'autorité, ce n'est ni abdiquer dans le silence ni crier plus fort que son enfant ; ce n'est pas « prouver » que l'on est le plus fort ; c'est être fort de l'intérieur ; c'est ériger en soi une forteresse nommée Respect avec des remparts infranchissables. Ce n'est pas un droit, c'est un devoir : vous avez le devoir de vous faire respecter par vos enfants. Un petit garçon qui traite sa mère de poufiasse, par exemple, comment traitera-t-il sa femme plus tard, et ses propres enfants ?

Ce que je ne veux plus entendre...

« J'ai peur de sa réaction. »

 ## Ce qu'on peut faire

Avant de s'interroger sur les causes d'une telle agressivité méprisante, il faut stopper la crue au plus vite et dresser un barrage ! D'abord être convaincu que l'on est au troisième sous-sol de l'autorité, et qu'il est urgent de prendre de la hauteur. Savoir que l'on va lui rendre service en sévissant et, surtout, que l'on va y arriver avec succès ! Avoir quelques phrases toutes prêtes sur le bout de la langue : « Je ne suis pas un de tes copains, tu me parles autrement »; « Viens ici et dis-le moi dans les yeux. » Puis se préparer psychologiquement à ce qu'il y ait du sport! Jusqu'à présent, c'est toujours lui qui a gagné, il ne va pas se laisser damer le pion à la première reprise d'autorité! À vous de décider vraiment : aujourd'hui, c'est tolérance zéro pour les insultes!

Les clés de l'ascension vers le respect

* 1. Faire équipe avec son conjoint

Que l'on vive sous le même toit ou non, il est capital de faire bloc contre l'enfant irrespectueux. Ne jamais le laisser insulter l'autre parent sans réagir immédiate-ment. S'il sent ses parents unis contre son attitude inadmissible (et non contre lui, veillez toujours à blâmer l'acte et non l'enfant), le petit cador va déjà moins faire le fier et mettre sa morgue en sourdine.

Mot d'ordre
À chaque mot de travers, sanctionnez !

* 2. Provoquer un face-à-face

Loin des yeux, loin du cœur. Il est facile de traiter sa mère de poule mouillée quand elle est à l'autre bout de la maison, mais le lui dire dans les yeux, droit au cœur, est une tout autre histoire. À sa prochaine insolence, attrapez l'enfant fermement par le bras, placez-vous à hauteur de son regard, et demandez-lui de répéter ce qu'il vient de vous dire en vous regardant dans les yeux. Subitement, sa voix devient moins assurée, son regard se fait fuyant.

* 3. Rejeter l'insulte

Mot d'ordre

Il n'est jamais trop tard pour se faire respecter !

« Je t'interdis de me parler comme ça » ; « Tu ne manques pas de respect à ton père » : peu importe comment vous le dites, mais repoussez l'injure avec calme et fermeté, en ne le quittant pas des yeux. Votre langage corporel parle autant, si ce n'est plus, que vos paroles. N'expliquez pas, parlez avec votre regard et vos silences. Si vous sentez qu'il faiblit, voire qu'il regrette, dites-lui de vous demander pardon.

* 4. « Pardon » ou c'est la sanction

Une fois la limite exprimée, s'il ne s'est pas excusé, sanctionnez l'enfant sans tergiverser. Isolez-le immédiatement. S'il continue ou récidive, ayez recours aux grands moyens, appliquez une punition à la hauteur de son insolence : privez-le d'une sortie qui lui tient à cœur, confisquez-lui son jeu préféré, bref, marquez le coup !

Ne fais pas comme moi !

Si vous traitez son prof de français de raton laveur et la concierge de vieille dinde analphabète, si vous ponctuez vos phrases de « putain », « merde », « connard », si vous insultez votre conjoint quand vous êtes en colère… vous allez avoir un petit peu de fil à retordre pour que votre enfant soit gentil, aimable, souriant, bien élevé et respectueux… Sans remettre en question toute l'éducation que vous avez reçue et sans jeter l'éponge avec votre progéniture, vous pouvez quand même exiger de lui qu'il vous parle correctement. Et réfréner vos pulsions verbales en sa présence.

Au plaisir des gros mots

Un enfant de 3 ans qui dit « caca ! » en éclatant de rire n'insulte personne. Il joue avec les mots défendus. C'est un comportement naturel. Comprend-il ce que signifie « caca » ? Oui, c'est cette chose qui sort de lui et qu'il n'a pas le droit de toucher au fond de la cuvette. Alors il la touche avec les mots. À 4 ans, il va faire la conquête d'autres mots, des mots de grandes personnes. Il peut dire « pute ! » sans avoir aucune idée de ce que cette insulte signifie. Mais il sait que c'est un mot fort puisque l'adulte lui dit fermement que « ça ne se dit pas, que c'est une parole moche et blessante ». Alors il garde les mots moches et interdits pour l'école, comme des armes pour se défendre de ses ennemis de la récré. À la maison, quand il est contrarié et qu'il veut s'affirmer en testant les limites, il jette une belle insanité à la figure de ses parents, qui évidemment lui demandent de la ravaler immédiatement ! Très vite, il fait le tri entre « mon langage avec mes copains » et « mon langage avec mes parents ». Chaque langage signe son appartenance à une sphère de vie, à un clan. À 7 ans, il est parfaitement « bilingue », il sait passer de « c'est nul à chier » (école) à « c'est bête » (maison). Quand il profère une obscénité à la maison, il le fait en toute conscience. Il teste clairement l'autorité parentale. À ses parents d'avoir l'attitude juste. S'ils s'énervent, ils montrent à leur enfant que ses provocations fonctionnent. S'ils banalisent ou font semblant de ne pas entendre, ils n'accomplissent pas leur mission éducative : « Certaines paroles sont une atteinte au respect de la personne. »

Pour être convaincant, soyez convaincu

- Un enfant ne s'adresse pas à ses parents comme à ses copains.
- Un enfant n'insulte ni ne frappe un adulte.
- Un adulte n'insulte ni ne frappe un enfant.
- Un enfant dont les parents se laissent insulter les méprise.

C'est tout bon

- Sanctionner immédiatement tout dérapage verbal.

- Dresser la liste des mots interdits à la maison.

- Aux plus grands, expliquer le sens des insultes.

C'est tout faux

- Faire comme si on n'avait rien entendu.

- Répondre à une insulte par une autre insulte.

- Éviter le conflit par crainte de sa réaction.

Ne faites pas la sourde oreille !

Ne rien dire, faire comme si de rien n'était, c'est accepter d'être maltraité par un enfant. C'est l'autoriser à vous mépriser. Des mots aux coups, parfois, il n'y a qu'un tout petit pas. Celui qui sépare l'enfant despote de l'adolescent déboussolé. Si vous ne vous sentez pas suffisamment solide pour sortir de l'impasse, ne laissez pas cette situation anormale s'enliser, faites-vous aider par un professionnel. Sortez du déni et de la honte, parlez-en !

C'est le roi de la « négo »

C'est le revers de la médaille des familles démocratiques… l'enfant a compris qu'avec un peu de bagou et beaucoup de ténacité, il arrivait à obtenir tout ce qu'il voulait. Même quand ses parents se risquent, mollement, à lui refuser quelque chose, ils finissent toujours par céder sous la pression de leur rejeton. Avec grosse fatigue à la clé et l'impression, désagréable et légitime, qu'ils se sont fait avoir.

Ce qui se passe

D'un côté, on a des parents « bonne pâte », plutôt communicants, qui placent le dialogue au cœur de leur éducation et détestent (et fuient) le conflit. De l'autre, un enfant qui a de gros désirs (comme absolument tous les enfants !), une incroyable volonté et l'aptitude sidérante à confondre échange verbal et marchandage.

À 4 ans, il martèle : « Je veux des bonbons à tête de nounours » jusqu'à la reddition de ses géniteurs.

À partir de 7 ans, âge auquel il jongle avec les techniques du langage et l'art de la dialectique, il va se muer en un redoutable négociateur qui ne lâche jamais. Cela donne :

– On ne peut pas t'offrir un vélo, dit la mère.

– Tous mes copains en ont ! rétorque l'enfant.

– Oui, mais tes copains ne vivent pas en appartement.

– J'en ferai dans la rue !

– Trop dangereux.

– Alors dans la cour !

– La cour ? s'écrie la mère, elle n'est pas plus grande que le tapis du salon !

– Oui, mais moi je veux un tout petit vélo… et puis je pourrai en faire quand on ira chez mamie à la campagne !

– Et pour aller chez mamie, comment on transporte le vélo dans la Twingo® ?

– Ben, nous deux, on prend le train, et papa part en voiture avec le vélo !

– Écoute, soupire la mère, on verra à Noël…

– Noël ? Mais il fait trop froid pour faire du vélo !

L'enfant aura toujours le dernier mot. Parce qu'il a déjà une logique solide (que vous admirez, forcément) et que sa détermination à obtenir ce que vous lui refusez est bien plus puissante que la vôtre à rester sur vos positions. Résultat, il vous retourne comme une crêpe ou il vous a à l'usure.

Ce que je ne veux plus entendre…

*« Ah ! celui-là,
quand il veut quelque chose… »*

Ce qu'on peut faire

Avant qu'il ait atteint l'âge de raison, avoir une attitude ferme quand il insiste. À partir de ses 7 ans, distinguer ce qui est négociable de ce qui ne l'est pas. Et quand on a clairement identifié et énoncé ce qui ne l'est pas, ne pas en démordre! Il n'est pas question toutefois de tomber dans la rigidité, de se métamorphoser en parent gendarme qui refuse toute discussion. La négociation, c'est aussi un moyen pour l'enfant d'apprendre à argumenter, à défendre son point de vue et à convaincre l'autre, autant de compétences dont il aura besoin dans sa vie. Non, il est simplement question de lui fixer certaines limites aujourd'hui. Qu'il intègre que tout n'est pas négociable, que, parfois, quand c'est « non », c'est « non ». Tout simplement. Mais ce n'est pas si simple pour les parents !

Mot d'ordre

L'autorité, ça ne se négocie pas !

* Musclez votre volonté !

Si vous mettez vos deux volontés sur une balance, vous constaterez que la vôtre ne pèse pas bien lourd. Votre refus est un poids plume à côté de son énorme envie d'avoir un téléphone portable ou une permission de sortie ! D'abord, faites un tri dans vos règles, celles qui sont de moindre importance et qui bénéficient d'une marge de négociation, où vous pouvez arriver à un compromis avec votre enfant (« d'accord, tu peux aller jouer dans la cour, mais seulement quand tu auras rangé tes affaires »), et celles où vous ne transigerez pas, où il doit obéir, point final (« on ne regarde pas la télé tant que l'on n'a pas fait ses devoirs »). Une fois ces règles clairement identifiées, prenez la décision de les faire respecter. Quels que soient ses arguments et les airs qu'il va vous jouer : la complainte de la victime, la colère du ténor ou la sérénade de l'enfant sage, refusez toute discussion.

* Jouez au perroquet ou à la carpe

Deux attitudes à adopter en fonction de l'âge de l'enfant. Avant l'âge de 7 ans, il ne peut pas encore recourir à l'argumentation, il va donc insister sans relâche : « Je veux un bonbon à tête de nounours », certain que, comme à l'accoutumée, sa persévérance va payer… ou vous faire enrager.

Formulez clairement votre refus et expliquez-en brièvement la raison : « Tu n'auras pas d'autre bonbon, tu en as déjà mangé dix, ça suffit maintenant. »

Mot d'ordre
Un refus se digère toujours mieux quand il a du sens.

Dès la première salve de réclamations, répétez comme un perroquet, même ton, même phrase : « Tu en as déjà mangé dix, ça suffit maintenant. »

Gardez votre calme, surtout s'il s'énerve, et continuez jusqu'à ce qu'il s'épuise de demander (malgré une grosse colère, des pleurnicheries, des cajoleries).

Pour les plus grands, qui savent si bien vous plonger dans d'interminables et épuisantes contre-argumentations, économisez votre salive. Formulez simplement et avec fermeté votre refus, puis optez pour le silence du grand large. Restez muet comme une carpe. Surtout, n'entrez pas dans les tractations, dans les pièges qu'il va vous tendre pour vous faire fléchir. Si la carpe ne dit rien, c'est qu'elle est muette. Faites la sourde oreille. Il devient impossible ? Ouvrez la bouche juste pour reformuler calmement votre refus ou lui asséner : « Inutile d'insister, c'est comme ça, et puis c'est tout. » Laissez passer l'orage, cris, plaintes et grondements.

Pour être convaincant, soyez convaincu

- Un enfant n'a pas à négocier les décisions de ses parents.
- Un parent n'a pas à justifier ses décisions.
- Tant qu'il sait qu'il peut obtenir gain de cause, un enfant ne renonce jamais.

C'est tout bon

- Lui demander son avis sans pour autant céder à ses exigences.

- Refuser de se sentir coupable quand on lui a dit non.

C'est tout faux

- Justifier son refus pour des raisons autres que la volonté des parents.

- Dire non aujourd'hui et céder demain.

Ne parlez pas trop vite !

Il vous a demandé quelque chose, et, mécaniquement, vous lui avez dit non. Mais si vous aviez pris le temps de réfléchir, vous auriez peut-être accédé à sa requête. Et maintenant, vous êtes bien embêté parce qu'il insiste, argumente, et que votre refus n'était pas totalement justifié. Votre volonté est au point mort. Qu'arrive-t-il alors ? Vous haussez les épaules, vous cédez. Et que se passe-t-il dans sa petite tête ? « Que mes parents disent oui ou non, de toute façon, c'est "oui" ! »

Ici, ça va, à l'école, c'est la cata

Vous venez d'apprendre que votre petit ange se transforme en démon dès qu'il traverse le porche de l'école, et vous avez du mal à le croire. Or il va falloir lui faire comprendre que le respect, c'est aussi dehors qu'il s'applique.

? Ce qui se passe

Après avoir découvert sur son cahier de liaison quelques croix de mauvaise conduite, auxquelles vous avez prêté une attention toute relative, d'autant que votre ange vous a bien expliqué : « Ce n'est pas moi, c'est lui ! », vous voilà convoqués chez monsieur le directeur. Et là, sidération totale, on apprend aux parents ébahis que leur enfant si gentil, si sage, en un mot charmant, est un petit monstre. Il parle comme un charretier, insulte et tape ses camarades à la récré, s'oppose avec insolence à son enseignant et passe son temps à perturber la classe. Bref, ou ça change, ou ça va mal finir. Il y a les parents qui bredouillent des excuses, ceux qui demandent des précisions, ceux qui exigent des preuves, ceux qui défendent leur rejeton comme s'ils étaient devant un tribunal et ceux qui s'insurgent, dénonçant l'incompétence des éducateurs de l'établissement ou la Berezina de l'Éducation nationale !

Quelle que soit la réaction de ses parents, l'enfant a un problème global. Inutile de cloisonner « vie de famille : bien » (on fait tout juste) versus « vie scolaire : pas terrible » (ils font tout mal, qu'ils assument !). Ça se passe mal à l'école ? Mais est-ce que, après tout, ça se passe aussi bien que ça à la maison ? Y a-t-il un événement familial qui pourrait expliquer son comportement ? Les parents sont-ils suffisamment présents ? Ou alors trop présents, ultra-protecteurs, étouffants ? Lui posent-ils des limites ou le laissent-ils faire ce qu'il veut, si bien que toute forme d'autorité à l'extérieur devient insupportable pour lui ? Au contraire, sont-ils si autoritaires que leur enfant « se lâche » une fois dehors ?

Après la visite chez le directeur, vous voyez, un petit bilan de santé familiale s'impose !

Ce que je ne veux plus entendre...

*« Tant que ses notes sont bonnes,
on ne s'alarme pas. »*

Ce qu'on peut faire

Ne pas se voiler la face. Commencer par accepter qu'il y a un problème et qu'il se trouve chez votre enfant et non pas chez les autres (instituteurs, camarades…). Se convaincre que son problème à l'école se résout aussi à la maison. Être solidaire avec ses enseignants et élaborer une stratégie de remise à niveau.

Même si c'est difficile, il est toujours préférable d'avoir un entretien avec l'enfant à froid. Si vous avez été convoqués avec votre enfant, dites-lui que vous allez avoir une discussion sérieuse mais qui demande réflexion de part et d'autre. Signifiez clairement que son comportement est inadmissible. Demandez-lui de réfléchir aux moyens de changer d'attitude et fixez ensemble une date de réunion de crise. Ce laps de temps me paraît important, puisqu'il permet à l'enfant de réfléchir aux explications qu'il va fournir, de mettre des mots sur ce qu'il ressent, ce qu'il vous cache peut-être, d'appréhender votre réaction et d'envisager des solutions par lui-même. Tout comme il permet aux parents d'analyser calmement la situation en amont et d'avoir une attitude cohérente.

* Listing des événements familiaux

Avant le fameux entretien avec votre mini Dr Jekyll et M. Hyde, établissez une liste des événements familiaux survenus les derniers mois (divorce, changement de poste, nouvel enfant, déménagement, etc.). Ceci pouvant expliquer cela, voyez s'ils correspondent aux premières manifestations de rébellion à l'école.

Bilan de comportement parental

Une fois les enfants couchés (et endormis, gare aux oreilles qui traînent !), offrez-vous une séance d'introspection et de discussion avec votre partenaire autour d'une tisane apaisante. L'objectif étant de parler de l'enfant, des problèmes qu'il peut rencontrer, de débusquer d'éventuelles défaillances éducatives et de se mettre d'accord sur l'attitude à adopter. Règle d'or : on ne minimise pas l'incident et on n'incrimine pas l'école. Et surtout, on ne reste pas les bras croisés pendant que les enseignants s'échinent à se faire respecter !

> ### Ce que je ne veux plus entendre...
> *« De toute façon, à son âge, j'étais comme lui. »*

La réunion de crise

Choisissez un endroit et un moment où vous ne serez pas dérangés. Cet entretien me paraît capital puisqu'il va déterminer le « contrat » que vous allez passer avec votre enfant. Faites un petit topo de la situation et demandez-lui de s'expliquer. Écoutez-le. Balayez les « c'est pas moi, c'est lui qui... », « c'est pas ma faute si... ». Ayez une attitude ouverte au dialogue et à l'empathie. Aidez-le à

93

formuler ce qu'il ressent sans émettre de jugement. Que se passe-t-il dans l'enceinte de l'école qui puisse provoquer une telle violence ? Envisage-t-il de changer de comportement ? Bien sûr ! « Promis, juré, craché ! » Il va avoir une conduite exemplaire ! C'est important qu'il le formule. Cela signifie qu'il est prêt à faire un effort. Croyez-le. Dites-lui que vous allez l'aider dans ce sens. « Aider » ne signifie pas « laisser faire ». Faites-lui comprendre que son comportement désastreux à l'école peut dorénavant non seulement se solder par des heures de colle, voire de mise à pied, mais qu'il aura aussi des répercussions désagréables pour lui à la maison. Le respect est une valeur fondamentale, sur laquelle vous serez intraitable. À lui de choisir. Le mur entre l'école et la maison vient de tomber : enseignants et parents sont désormais main dans la main. Vous vous tiendrez informé de sa conduite et vous ne laisserez rien passer.

Mot d'ordre

Ne jamais dévaloriser devant lui ses enseignants !

* Le contrat de bonne conduite

Redéfinissez ensemble le comportement que l'on attend de lui à l'école, sortez le cas échéant le règlement de l'établissement. Faites la liste des points à améliorer et demandez à votre enfant de les hiérarchiser par ordre de difficulté. En lisant ces lignes, vous vous demandez à quoi sert cet entretien qui commence à ressembler à une réunion de travail ? Ça serait tellement plus simple, n'est-ce pas, de le punir là, tout de suite, ou de le menacer de sanctions si ça continue ! Plus simple, oui, mais plus efficace ? Vous êtes en train de demander à votre enfant de changer de comportement en dehors de la maison. Vous allez faire bloc avec ses enseignants, ce qui va être subi comme une pression extérieure. Or rien ne pourra remplacer la motivation intérieure de votre enfant. Il faut qu'il soit prêt à coopérer et non à se soumettre (souvenez-vous, « suivre » et non « se plier » !). Il faut qu'il ait envie de changer. Pour l'instant, les punitions à l'école n'ont eu aucun effet sur lui. Celles qui seront appliquées à la maison seront-elles plus efficaces ? En se sentant écouté, en donnant son avis, en cherchant par lui-même des solutions, l'enfant tiendra mieux ses engagements. Voilà à quoi sert cette petite séance de travail : à l'impliquer. Ce qui ne veut pas dire que vous ne le sanctionnerez pas, mais vous lui montrez que vous l'écoutez et le respectez, que vous êtes avec lui et non contre lui.

✳ Définir les points à améliorer par ordre de difficulté

Par exemple, en classe, je m'engage à…
- Lever la main avant de parler.
- Ne pas couper la parole des enseignants.

95

- Ne pas dire des gros mots.
- Ne pas frapper ni insulter mes camarades.
- Ne pas perturber la classe.
- Dire bonjour.

* Comprendre les difficultés
et fixer un planning d'amélioration :

« Comme pour toi c'est cela le plus facile, est-ce que tu penses que dès demain tu peux lever la main avant de parler ? » Réponse de l'enfant : « Oui. » Ouf ! c'est déjà ça de gagné !

Mot d'ordre

Faux pas à l'école
= sanction
à la maison !

« Comment comptes-tu t'y prendre pour ne pas couper la parole à ta maîtresse ? Réponse de l'enfant : « Je vais me boucher les oreilles, comme ça, j'entends pas les bêtises qu'elle dit. » Aïe ! il faut valoriser la parole de la maîtresse.

« Pourquoi est-ce si difficile pour toi de dire bonjour ? » Réponse de l'enfant : « Mais je dis bonjour, elle n'entend jamais ! » Petit cours sur la manière de dire bonjour quand on croise un adulte.

Conclure : « Combien de temps te faut-il pour arriver à avoir une bonne conduite générale ? »

* Faire signer le contrat d'engagement

Y faire figurer les sanctions qu'il encourt en cas de non-respect de ses engagements. « Quand je gare mon véhicule sur un passage clouté, je sais que je risque trente-cinq euros d'amende. » Une sanction est perçue comme légitime quand elle est liée clairement à une transgression.

Prime à l'effort

Son enseignant le confirme : depuis trois mois, il a une attitude irréprochable. Sachez que, comme chez un adulte, modifier un comportement négatif lui a coûté beaucoup d'efforts. Pour l'encourager dans cette voie, faites-lui une récompense surprise, une sortie au parc d'attractions ou le vélo dont il rêve. La récompense aura un impact plus important si elle est inattendue, évitez donc de la lui brandir comme une carotte !

C'est tout bon

- Lui faire confiance quand il vous promet de mieux se comporter.

- Voir son enseignant chaque mois pour faire le point.

C'est tout faux

- Prendre sa défense et incriminer l'institution scolaire.

- Excuser ou minimiser son comportement.

- Faire comme s'il n'y avait pas de problème.

- Lui demander tous les jours s'il s'est bien comporté à l'école.

Pour être convaincant, soyez convaincu

- Les parents ne doivent pas compter sur les éducateurs pédagogiques pour éduquer leur enfant à leur place.

- Un enfant qui rencontre des difficultés à l'école a également un problème à la maison.

- Toute sanction donnée par les enseignants doit être approuvée par les parents.

- Les parents ont le devoir d'encadrer leur enfant pendant sa scolarité.

Ils se battent, halte au carnage !

Dans une fratrie, complicité rime avec rivalité. Une relation fraternelle sans chamailleries est pure utopie. Mais quand l'espace familial devient un champ de bataille permanent et que les jeux les plus anodins virent au cauchemar, il faut agir !

 ## Fratrie, comment ça marche ?

Dans la série « Je suis le roi du monde », un deuxième prince pointe le bout de son nez… Que se passe-t-il inévitablement ? Destitué de l'attention absolue de ses parents, le petit monarque veut évincer l'intrus ! Jusqu'à 4 ou 5 ans, il ne sait pas dissimuler ses sentiments spontanés : il va manifester ouvertement son animosité, tirer les pieds du nouvel arrivant, lui arracher sa tétine et affirmer à qui veut l'entendre qu'il aurait voulu ne jamais avoir de petit frère. « Et s'il meurt, ça sera bien fait pour lui ! » Il peut se remettre à faire pipi au lit ou pleurnicher comme le « nouveau roi-né » qu'il aimerait bien redevenir. Tout cela est bien normal, et les parents se débrouillent tant bien que mal pour consacrer du temps à l'aîné, essayant de lui prouver que ce n'est pas parce qu'il y a « l'autre » qu'ils ne l'aiment plus, lui.

Ce qu'on peut faire à chaud

Stopper immédiatement les bagarres et sanctionner sans chercher à savoir qui a commencé.

* Punir en bloc

À moins d'avoir été témoin du conflit, impossible de savoir qui a fait quoi et qui a commencé. Toute sanction dirigée vers l'un des protagonistes sera donc vécue comme une injustice. Or ce que les enfants demandent insidieusement à leurs parents lorsqu'ils les prennent à partie, c'est d'exprimer leur préférence. Règle d'or : punir en bloc. Peur d'être injuste ? Vous le serez de toute façon. Il vaut mieux être injuste par omission que d'être obligé de désigner, et donc de choisir, un coupable.

Mot d'ordre

Pas de traitement de faveur !

* Instaurer le « drapeau blanc » et la « trêve »

On peut agiter un mouchoir en arrivant au milieu du champ de bataille. Le cas échéant, confisquer l'objet du litige aux combattants. Puis les mettre côte à côte et leur parler en les regardant droit dans les yeux à tour de rôle. Écarter toute doléance, comme les « c'est pas moi, c'est lui ». Utiliser le « je » pour leur signifier que l'on (« je ») ne supporte plus le tapage, et que tant qu'ils ne pourront pas régler leur conflit à l'amiable, ils seront isolés. Enfin, les éloigner les uns des autres : « Toi tu restes ici, toi dans la chambre, toi dans le salon », et établir un temps de trêve, qui peut être matérialisé par un minuteur. Évidemment, il est hors de question de prendre le benjamin avec soi dans la cuisine pendant que les deux autres sont cantonnés dans la chambre et dans le salon !

* Sanctionner immédiatement tout comportement agressif

Vous leur avez appris ce qu'est le respect, n'est-ce pas ? Les coups et les insultes sont donc strictement interdits à la maison, non ? Sanctionnez immédiatement les agressions physiques, les insultes ou autres comportements inacceptables dont vous êtes témoin, même si c'est «l'autre» qui a commencé. Ne prêtez aucune attention à tout «rapportage» ou délation, comme «il m'a tiré les cheveux», «elle m'a traité de grosse tache» ou «il a fait pipi dans la baignoire», sauf bien sûr si le comportement de « l'autre » est dangereux. S'il s'apprête à faire une virée sur le toit ou qu'il a décidé d'allumer un feu de

Mot d'ordre

On n'incite pas au mouchardage entre frères et sœurs !

103

cheminée pour y brûler les poupées de sa petite sœur, mieux vaut courir vérifier, sans pour autant congratuler le mouchard !

Ce qu'on peut faire à froid

Développer les personnalités individuelles, consacrer du temps parental à chacun séparément, créer les occasions de solidarité et d'entraide.

✳ À chacun son moi, à chacun son chez-soi

« J'exprime ce que je suis dans l'espace que j'occupe. » Il est important de leur offrir un territoire individuel. S'ils doivent partager la même chambre, attribuez à chacun un coin, un placard personnel, une rangée de bibliothèque ou une caisse à jouets avec son nom. L'important c'est qu'ils aient un bout de territoire à eux avec leur petit bazar et leurs secrets. Veillez à différencier les jouets communs des jouets personnels, et à établir des règles pour l'utilisation des jouets à partager. Normalement, vous devriez les laisser se débrouiller entre eux, sans vous immiscer dans leurs querelles.

Mais si à chaque fois qu'ils sont dans la chambre leurs jeux virent à la guérilla, hissez le drapeau blanc, imposez la trêve en isolant les francs-tireurs. Si l'objet du litige est un jouet personnel, après sa confiscation et l'isolation générale des combattants, rendez à César ce qui lui appartient : on a aussi le droit de ne pas partager ses jouets si on n'en a pas envie. À chacun de respecter le territoire et les affaires des autres.

Cultiver la personnalité unique de son enfant, c'est...

- L'inciter à avoir des activités et des loisirs distincts de ceux de ses frères et sœurs. Si l'un est archi-doué au karaté et que l'autre renâcle à s'y mettre, ne le forcez pas, même si c'est plus pratique pour vous de les amener ensemble au centre sportif le mercredi après-midi !
- Favoriser ses relations exclusives avec ses copains. Sans lui demander de jouer aussi avec son petit frère. Un ami, ça ne se partage pas.
- Ne pas le comparer à ses frères et sœurs.
- Acheter parfois des vêtements neufs aux plus petits, qui héritent des affaires des aînés.

Ce que je ne veux plus entendre...

« Tu es beaucoup plus gentille
que ton grand frère. »

* À chacun ses moments avec papa et maman

Le temps est une denrée rare quand on a des enfants, un travail, des amis et de grandes envies de s'offrir un peu de paix ! Difficile aussi de répartir équitablement le temps alloué à chacun de ses enfants. Et pourtant, cette relation privilégiée avec ses parents que chacun a pour lui tout seul l'espace de quelques heures est essentielle à son épanouissement. Que faire ? Instaurer une sortie exceptionnelle, au restaurant, par exemple, à chaque anniversaire... ou leur faire partager une tâche à tour de rôle comme le lavage de la voiture avec papa ou la promenade du chien avec maman. Et pourquoi ne pas organiser un mercredi expo avec le féru d'arts plastiques, un dimanche « gâteau » avec le gourmet et un samedi soir au théâtre avec le comédien de la famille ?

* D'un contre un à tous pour un !

Créez les occasions où ils auront besoin d'être solidaires, faites-les « travailler » ensemble. Un samedi d'automne consacré au ramassage des feuilles dans le jardin, par exemple. En prenant soin d'attribuer à chacun une tâche spécifique, l'un s'occupe de pousser la brouette, l'autre ratisse les feuilles, le dernier les rassemble dans la brouette. Avec récompense commune après inspection générale des travaux finis.

L'enfant préféré

Quel parent n'a pas un jour éprouvé un petit pincement particulier pour l'un de ses enfants ? Le plus câlin, le plus drôle, le plus fragile, le plus malin. Être touché par un enfant plus que par un autre dans la fratrie est un sentiment humain tout à fait normal. Si l'on ne peut lutter contre un penchant, on doit redoubler de vigilance pour le masquer : contenez tout comportement discriminatoire, les sourires béats, les câlins furtifs, les compliments à répétition ou les comparaisons avec les autres enfants de la fratrie.

D'enfant unique à fils (ou fille) aîné(e)

L'aîné est le seul de la fratrie à avoir été enfant unique, ne serait-ce que l'espace de neuf mois. Il croit occuper toute la place, quand un jour il apprend l'arrivée d'un « squatter » dans le cœur de ses parents. Une certitude s'installe en lui : ses parents ne vont plus l'aimer comme avant. Pis, ils vont l'aimer beaucoup moins, puisqu'ils n'arrêtent pas de parler de son rival alors qu'il n'est même pas encore né ! Pour l'aider dans cette épreuve, répétez-lui souvent que vous l'aimez et que vous l'aimerez toujours. Expliquez-lui comme cela va être bien après l'arrivée de son petit frère ou de sa petite sœur, sans aller jusqu'à lui montrer les clichés de l'échographie, qui ne lui diront rien. Valorisez-le, racontez-lui sa naissance à lui, photos à l'appui, comme il était beau et gentil. Montrez-lui quels seront désormais leurs territoires respectifs. S'ils vont partager la même chambre, organisez-lui un espace bien à lui et qu'il apprécie. Impliquez-le dans le choix du berceau ou des layettes du cadet à venir. Aussi amortirez-vous le choc, sans l'éviter toutefois. Un plus petit que soi demande toujours plus d'attention des parents. C'est ainsi, c'est la vie. Et ça sera dur pour lui. La jalousie de l'aîné est un sentiment naturel, qui ne doit pas être blâmé par les parents.

Parce que justement il a été enfant unique, l'aîné aura souvent une relation privilégiée avec ses parents, dont les cadets seront à leur tour jaloux. Cette relation peut se révéler à double tranchant pour le premier : souvent, ses géniteurs l'investiront de responsabilités un peu trop lourdes. Il devra veiller sur ses petits frères et sœurs, donner l'exemple, mettre en veilleuse ses propres désirs et son animosité légitime. Alors, dans la mesure du possible, évitez de faire de votre aîné un mini-parent par intérim.

Ce que je ne veux plus entendre...

« Il est très mûr pour son âge, et puis il aime tellement s'occuper des petits ! »

C'est tout bon

- Consacrer du temps à chaque enfant individuellement.

- Leur confier des responsabilités différentes.

- Les isoler en cas de dispute.

C'est tout faux

- Chercher à savoir ce qui s'est réellement passé pour trancher.

- Demander à l'aîné de céder aux plus jeunes.

Pour être convaincant, soyez convaincu

- La jalousie est un sentiment normal, qui doit s'exprimer sans déborder.
- Dans une fratrie, rivalités et rapports conflictuels sont inévitables et formateurs.
- Ce n'est pas parce qu'ils se chamaillent qu'ils ne s'aiment pas.
- Quand on fait un cadeau à l'un, on n'est pas obligé d'offrir systématiquement la même chose à l'autre par souci d'équité.

Au secours, j'ai un préado à la maison !

Cela se passe quand il a entre 10 et 12 ans. Parfois, cela coïncide avec son entrée au collège. C'est toujours brutal, comme s'il avait reçu un grand coup sur la tête. Du jour au lendemain, insolence, provocations, attitudes méprisantes sont au menu du soir ! Et là, plus moyen de le priver de dessert ou de télévision, il s'en moque comme de son premier carnet scolaire !

? Ce qui se passe

Sa conscience du moi est plus vive, sa pensée plus structurée, mais ses émotions sont contradictoires. Il fait partie d'une bande de copains où les alliances se font et se défont à une vitesse folle. Tout ce qui concerne le sexe l'intrigue et le dégoûte à la fois. À la maison, il se singularise en se démarquant de l'éducation qu'on lui a donnée. Les gestes de tendresse de ses parents sont parfois mal vécus : « Je suis plus un bébé ! » Il vit les règles comme une oppression, l'éducation comme une dictature. Il se sent pousser les ailes de l'autonomie, ce paradis que lui semble l'adolescence, et affiche une opposition permanente.

À 2 ou 3 ans, il s'affirmait en disant « non » ; là, c'est à peu près la même chose. À la différence près que ses parents ne peuvent plus se mettre à son niveau et lui dire droit dans les yeux: « Ce n'est pas bien. » Il ne supporte pas les ordres et discute les règles sans arrêt. Il a l'impression de n'avoir plus aucun compte à rendre à ses géniteurs. « Parce que c'est ma *life*. » D'ailleurs son langage n'est pas piqué des vers. Tous ces mots qu'il gardait pour la cour de récré, il les balance maintenant à ses parents sans ciller. Il les nargue. Pas question de leur dire avec qui il rentre du collège et à quelle heure, et puis quoi encore !

Les parents s'énervent de cette rébellion prématurée, il est encore trop jeune pour choisir sa coupe de cheveux et refuser de porter un jean ringard. « C'est comme ça et pas autrement ! » finissent-ils par siffler, à bout d'arguments. C'est exactement ce qu'il ne fallait pas dire. Il se ferme comme une huître, il hausse les épaules, il les méprise. De toute façon, personne ne le comprend. Non, il ne débarrasse pas la table, non, il ne fait pas ses devoirs maintenant, ouais, il s'en fiche d'être puni, il s'en fiche que sa mère crie…

Bref, il est insupportable. Et ses parents… eh bien, où sont-ils, ses parents ? Sur le canapé du salon, accablés.

Ce que je ne veux plus entendre…

*« Il est trop grand maintenant,
on ne peut plus rien faire… »*

111

Ce qu'on peut faire

Ne pas se plaindre! Ayez conscience de la chance que vous avez : durant cette période, vous allez avoir un avant-goût de ce que sera son adolescence. Vivez-la comme un entraînement, une répétition générale avant le grand saut! Adaptez votre comportement et respirez, tout va bien se passer… parce que ça va passer, et le préado est un peu plus « souple » que l'ado! Surtout, ne baissez pas les bras, pas question qu'il fasse n'importe quoi! Votre préado reste avant tout un enfant qui a besoin de l'autorité de l'adulte.

* Règle N° 1 : S'adapter à la nouvelle donne

Vous ne vous en êtes pas rendu compte parce que tout roulait : votre enfant évolue. En lui se met en place le fameux processus de séparation. Les hormones commencent à le titiller. Les filles ont les seins qui pointent ou sont déjà réglées et cette mutation physique n'est pas facile à vivre ; souvenez-vous, les mamans! Ses revendications d'indépendance doivent être écoutées, et les limites, modulées.

Imaginez que vous avez une casserole en ébullition à poser sur une table, vous allez la manipuler avec précaution, d'un pas moins rapide, avec des gestes moins brusques, mais fermement, calmement, sans lâcher. C'est la même chose avec votre préadolescent. On le cadre sans le secouer. En maintenant bien fermé le couvercle de certaines règles, quelles que soient ses récriminations.

* Règle N° 2 : Influencer au lieu d'ordonner

Pratiquez une écoute compréhensive en exprimant vos émotions. Au lieu de « tes copains, tu les vois toute la journée, quand c'est l'heure de rentrer à la maison, tu rentres ! », ce qui va le braquer, vous pouvez dire : « Je comprends que tu aies envie de discuter avec tes copains à la sortie du collège, mais quand je ne sais pas à quelle heure tu rentres, je me fais du souci, et puis il faut que tu fasses tes devoirs, qu'est-ce qu'on peut faire ? » En lui renvoyant la balle, non seulement vous le valorisez, mais vous lui donnez la possibilité de trouver une solution et de vous proposer un compromis acceptable : « Je parle avec mes copains dix minutes et je rentre. » Pas de lutte de pouvoir, pas de gagnant ni de perdant. Vous avez fait preuve d'une autorité persuasive. Tout le monde est content.

> **Mot d'ordre**
> Quel que soit son âge, on sanctionne tout manque de respect !

* Règle N° 3 : Être ouvert sans céder

Sur certaines règles, évidemment, vous serez intransigeant. Laissez-le pourtant vous donner son opinion, même si vous savez pertinemment qu'il n'arrivera pas à vous influencer. Lorsque des amis viennent vous rendre visite, à ses « je ne les connais pas, ils ne me connaissent pas, ils n'en ont rien à faire que je leur dise bonjour ! », rappelez-lui quelques règles fondamentales : « Respecter une personne, c'est l'accueillir quand elle vient chez toi. Tu es ici chez toi au même titre que nous. Donc la seule chose qu'on te demande, c'est de faire preuve de respect. Pas besoin de lui taper dans le dos et de lui faire la causette, tu viens lui dire bonjour et tu retournes dans ta chambre. »

* Règle N° 4 : Réveiller ce bon vieux perroquet

Vous imaginiez que certaines habitudes étaient ancrées ? Eh bien non ! Il « oublie » de se laver les dents, ne ramasse pas ses affaires sales, se couche sans dire bonne nuit… Alors qu'est-ce qu'on fait ? On sort le perroquet du placard, on le secoue et on recommence à répéter les règles. Courage !

* Règle N° 5 : Éviter l'escalade

Il vous provoque, c'est évident. Il vous cherche, et la plupart du temps, il vous trouve : vous sortez de vos gonds, vous répliquez, le ton monte, les cris pleuvent. Or votre rôle, c'est de garder le contrôle, d'endurer sans fléchir et sans paraître affecté. Ne répondez pas aux agressions verbales par de l'agressivité. Dites-vous bien que ce qu'il vous dit sous le coup de la colère, il ne le pense pas vraiment. C'est pour se mesurer aux grands et gagner la bagarre. Même si l'on est encore loin des bras de fer avec l'adolescent, on en a déjà tous les ingrédients. Soyez pondéré et solide comme un mur que votre enfant vient frapper de ses provocations. Quand il attaque, refusez clairement un conflit qui pourrait dégénérer : « On parlera de ça quand tu seras calmé » ; ou : « Je n'ai aucune envie de m'énerver, temps mort ! »

Mot d'ordre
Il y a les règles que l'on peut assouplir et il y a celles sur lesquelles on ne cède JAMAIS !

S'il continue et que votre main vous démange, optez pour une solution de repli. Mettez de la distance sonore en glissant les écouteurs de votre propre baladeur dans les oreilles. Ou de la distance géographique en quittant la pièce s'il refuse de s'isoler dans sa chambre. Déclinez toute déclaration de guerre, attendez qu'il s'épuise pour lui parler à froid.

Une fois sa rage tombée, allez lui parler. Faites preuve d'empathie, ayez recours à l'humour (si vous en avez encore !), c'est un bon moyen de désamorcer la situation et d'ouvrir le dialogue. Et puis il a l'âge de comprendre. Il ne va peut-être pas beaucoup s'exprimer, ou seulement par onomatopées, vous aurez l'impression qu'il ne vous écoute pas, mais il entend, votre voix fait son chemin. Sans jamais vous départir de l'amour que vous lui portez, soyez ferme. Redéfinissez les règles et les limites qui sont indiscutables… même s'il les discute !

* Règle N° 6 : Garder un œil ouvert

Le préado a besoin d'un peu plus d'autonomie, que sa voix soit prise en compte au sein de la famille, de la confiance de ses parents (pour avoir confiance en lui) et d'être responsabilisé, mais plus que jamais, d'un cadre sécurisant avec des limites clairement définies. Tout le travail de ses parents réside dans l'art et la manière d'ouvrir des portes (« tu peux voir tes copains dix minutes après la sortie du collège ») et de les refermer (« tu n'as pas respecté le contrat, tu es arrivé une demi-heure en retard, jusqu'à nouvel ordre, je viens te chercher à la sortie de l'école »).

Mot d'ordre

Un mur inébranlable avec des oreilles pour l'écouter !

On fait confiance, bien sûr, mais on surveille. Et l'on cadre.

C'est aussi pendant la période du collège qu'il va ériger un mur entre vie scolaire et vie familiale. Même si tout a l'air de « rouler », tenez-vous informé, rencontrez son enseignant principal et, de temps en temps, jetez un œil sur ses devoirs ! Non pour le « pister » mais pour vous intéresser à son travail.

De la préadolescence à l'adolescence, nouvelles techniques !

1. On définit les règles clairement.
2. On cherche des solutions ensemble.
3. On passe un contrat dans lequel il doit tenir ses engagements.
4. On sanctionne si besoin.

C'est tout bon

- Lui donner plus de responsabilités.
- Lui faire confiance en gardant un œil grand ouvert.
- Rencontrer ses enseignants.

C'est tout faux

- Le chantage affectif : lui demander d'obtempérer pour vous faire plaisir.
- S'embarquer dans des discussions épuisantes.
- Le laisser faire ce qu'il veut, puisque c'est ce qu'il demande !

Pour être convaincant, soyez convaincu

- En s'opposant, le préado entame son processus naturel de séparation.
- Il aspire à l'indépendance tout en ayant besoin d'être sécurisé.
- Par son comportement agressif, il sollicite parfois inconsciemment l'attention de ses parents.
- Si l'on peut adapter certaines règles, des limites claires et inamovibles doivent être posées au préado.
- À l'adolescence, le « travail » d'indépendance ne pourra pas se faire sans règles auxquelles il puisse s'opposer.

Parents au bord de la crise de nerfs

Il vous a fait sortir de vos gonds, le coup est parti ou vous avez piqué une crise. Cris, mots blessants, bref, vous êtes allé trop loin… Cela vous a calmé sur le moment, mais maintenant, à juste titre, vous culpabilisez.

Ce qui se passe

Vous venez de passer une journée exécrable, votre boss vous a fait des misères, et les collègues des vacheries. Pour couronner le tout, vous vous êtes fait flasher sur le trajet du retour. Vous rentrez à la maison les nerfs en pelote, soulagé de réintégrer le havre de paix familial, prêt à vous échouer sur votre canapé pour « ne plus bouger », « ne plus penser », « ne plus vous occuper de rien ». De toute façon, « ce n'est pas le jour ! »

Détrompez-vous, c'est « le jour » justement que votre adorable rejeton va choisir pour rouspéter, insister, refuser, piquer une colère, bref, vous pousser à bout. Pourquoi ? Parce que les enfants sont dotés d'antennes prodigieuses, capables de détecter le moindre signe de faiblesse chez leurs géniteurs, et savent appuyer là où cela fait mal.

Un parent heureux, détendu, bien dans sa peau, n'a aucune raison de s'énerver aux provocations d'un petit ou d'un grand bout de chou. Il garde son calme, il contrôle, il maîtrise. L'enfant comprend qu'il n'a aucune prise, qu'il sera vite recadré. C'est imparable : si le parent est calme, l'enfant se calme. Quand le parent dérape, en revanche, sort de ses gonds et se met à crier ou à claquer les portes, c'est qu'il ne va pas très bien (c'est le moins que l'on puisse dire). L'enfant a senti la faille et s'y est engouffré. Non, bien sûr, il ne le fait pas exprès, c'est dans sa condition d'enfant : pousser les limites de l'autorité, se mesurer à l'adulte. C'est également l'expression comportementale d'une anxiété : comment se sentir rassuré quand on sent ses parents fragiles ?

Et si l'enfant se sent délaissé depuis quelque temps, il peut provoquer la colère de ses parents uniquement pour… exister ! Les cris plutôt que le silence. Les coups plutôt que l'indifférence.

Si le conflit est inévitable dans la relation parent-enfant, il doit être source d'apprentissage pour ce dernier, c'est-à-dire qu'il doit être géré par l'adulte. Un petit enfant ne sait pas contrôler ses pulsions, ses colères, ses désirs. L'adulte, si (enfin, en principe !). C'est toute la différence.

C'est le chemin à parcourir entre l'âge tendre et l'âge adulte, l'intériorisation des valeurs, de l'autodiscipline, de la responsabilité et… de la maîtrise de soi.

Dans le meilleur des mondes, les adultes sont confiants, forts et sereins.

Dans le meilleur des mondes, les enfants sages s'ennuient et Super Nanny fait du fromage de chèvre en Normandie!

Heureusement les parents ne sont pas des machines à élever infaillibles. Que ferait un enfant de parents plus que parfaits, que l'on ne peut jamais critiquer? C'est à vous désespérer de grandir! Les parents ont le droit d'être en colère ou tristes. Ils ont le droit et parfois le devoir de l'exprimer à leurs enfants, tant qu'ils ne perdent pas le contrôle.

Ce que je ne veux plus entendre...

« Il a l'art de m'énerver! »

Ce qu'on peut faire

Quand on perd le contrôle, c'est que l'on n'a rien vu venir. Que faire? Ouvrir ses yeux intérieurs. Faire preuve d'auto-observation pour pister en soi les signes avant-coureurs d'éventuels glissements. Si vous êtes dans une période de stress, de fatigue ou de déprime, il est évident que vous allez avoir du mal à gérer vos enfants. Et que, à une molle protestation ou à une petite rebuffade, vous allez répondre d'une manière disproportionnée et incohérente.

Décodez vos émotions : vous sentez un agacement inhabituel parce qu'il est allé se servir dans le réfrigérateur sans demander, alors que d'habitude ça ne vous fait ni chaud ni froid ? Attention ! signe caractéristique de tension intérieure dont la cause n'est pas l'enfant ! Je suis à 100 % pour la formulation, qu'elle soit mentale ou verbalisée. Parlez-vous mentalement. Passez d'« il m'énerve » à « je suis énervé contre lui ». « Pourquoi ? » « Est-ce que ça devrait m'agacer autant que ça ? », etc. Faites-vous un petit dialogue dans votre tête, jouez au psy avec vous-même ! Osez formuler mentalement : « Aujourd'hui, j'ai envie de le gifler. » Les pulsions sont naturelles, c'est le passage à l'acte qui est condamnable. Coachez-vous : « Mais je ne vais pas le faire parce que je suis un adulte, un adulte se maîtrise, et c'est à l'encontre de mes principes. Inspire, expire… » Impossible de vous calmer ? Vous sentez que la moutarde vous monte au nez, que vous êtes sur le point d'exploser ? Décampez !

* Courage, fuyons !

Sortez le panneau d'avertissement « Attention parent à bout, tous aux abris ! » C'est-à-dire exprimez ce que vous ressentez à vos enfants : « Aujourd'hui, je suis fatigué, je m'énerve facilement, alors évitez de pousser le bouchon. » Ils continuent ? Ils sont déchaînés ? Vous n'en pouvez plus ? Ne prononcez plus un mot qui pourrait devenir blessant tel que : « Vous allez me rendre dingue ! »

« Vous êtes infernaux. » « Je ne sais pas ce que j'ai fait au bon Dieu pour avoir des enfants pareils », etc. Mettez-vous hors jeu sur-le-champ ! Sortez de la pièce où ils se trouvent, déchirez quelques vieux draps, courez autour de la table du salon, videz vos tiroirs mal rangés, chantez du Johnny à tue-tête, bref, allez calmer vos nerfs ailleurs que sur vos enfants. Évidemment, la fuite n'est pas la panacée en matière d'éducation, mais c'est toujours mieux que l'agressivité verbale ou physique. Vous avez le droit d'être dépassé, d'exploser. Vous avez le droit d'exprimer votre désarroi, de vous sentir faible, d'en avoir ras-le-bol. Vous avez le droit d'être humain et pas ce super parent qui n'existe que dans les livres de recettes pédagogiques. Vous avez le droit de fuir !

* À l'aide !

Et vous avez le droit de demander de l'aide. D'appeler votre mère à la rescousse, de poser les enfants chez la voisine, de demander à votre conjoint de prendre le relais pendant que vous partez quelques jours vous mettre au vert. Vous avez le droit de décrocher, de faire le vide, d'aller chez le coiffeur ou de consulter un psy. Tout est bon du moment que vous vous mettez hors d'état d'agresser vos enfants. Car s'il y a bien une chose que vous devez vous interdire, c'est de les maltraiter. Physiquement et verbalement. Donc, pour mieux vous occuper d'eux, prenez soin de vous.

Ce que je ne veux plus entendre...

« Il l'a bien cherché ! »

? Trop tard, la claque est partie, que faire ?

Aucun parent n'est à l'abri d'un dérapage. Même si pour l'adulte c'est un échec éducatif et un aveu de faiblesse personnelle, un dérapage ne prête pas à conséquence pour l'enfant tant qu'il reste accidentel. Les parents (et vous êtes nombreux !) à qui ça arrive se retrouvent dans un tel état de culpabilité qu'il n'y a pratiquement pas de récidive. Ils ont compris la leçon, ils font en sorte de déchiffrer les signes annonciateurs de tempête (voir plus haut) et se mettent hors d'état de nuire à leurs enfants. Dites-vous bien que si les gifles ne font pas partie de votre méthode éducative et que vous avez dérapé une fois, non, vous n'êtes pas un bourreau, vous êtes seulement un parent déboussolé, en déficit d'autorité, qui a commis une grosse erreur. Après « l'incident », isolez-vous de votre enfant. Laissez-le sécher ses larmes dans sa chambre. Apaisez-vous dans la vôtre. Ne vous traitez pas de tous les noms, ce qui est fait est fait, il s'agit de clore l'incident maintenant. Une fois le calme revenu, allez retrouver votre enfant. Prenez-le dans vos bras, embrassez-le.

Même si vous regrettez votre geste, ne lui demandez pas pardon ! N'entrez pas dans de grandes explications, ne vous justifiez pas. Rassurez-le, soyez positif : « On va faire en sorte que ce genre d'incident ne se reproduise plus, d'accord ? » Et passez à autre chose. Les remords vous tourmentent ? Ne lui en parlez plus, appelez une amie.

 ## Tapes, gifles et fessées, la loi du plus fort

L'autorité est une faculté intérieure de l'adulte qui influence positivement le comportement de l'enfant. Le châtiment corporel est un acte de faiblesse qui soumet l'enfant à la loi du plus fort.

En frappant mon enfant, je ne suis en aucun cas dans une relation d'autorité adulte-enfant, mais dans un rapport de force dominant-dominé.

- Je lui inculque que l'on peut résoudre un conflit par la violence.
- Je porte atteinte à son intégrité et à sa dignité.
- Je lui fais mal.
- Je lui montre que les coups permettent d'obtenir de l'autre ce que l'on attend de lui.
- Je lui dis que « frapper » signifie « aimer ».
- Je fais preuve d'incohérence, puisque j'exige de lui qu'il ne tape pas les plus faibles que lui.
- Je le conforte dans la (fausse) certitude qu'il est méchant et mauvais, et qu'il mérite qu'on le frappe.

L'autorité naturelle est efficace à long terme. Le châtiment corporel ne sert qu'à soulager celui qui l'inflige, mais en aucune façon – les études l'ont prouvé – il n'améliore un comportement. N'obtenant l'obéissance que par la violence, je fais céder l'enfant à court terme, si bien que j'entre dans une spirale infernale, les coups appelant les coups.

« Même pas mal ! » me dira-t-il un jour les yeux plantés dans les miens. Et ce jour-là, je fais quoi ? Je sors la ceinture ? Je me mets à genoux pour lui demander pardon ? Non, ce jour-là, je mets les mains dans mes poches et je vais demander de l'aide. Parce que je n'y arriverai pas tout seul.

Mot d'ordre

Qui aime bien punit bien, mais ne châtie point !

Les mots frappent aussi

Les mots peuvent faire aussi mal que les coups. Attention aux paroles humiliantes : « T'es bête ou quoi ? » ; celles qui comparent : « Regarde ton frère comme il est gentil » ; celles qui condamnent : « De toute façon, on ne peut pas te faire confiance » ; et celles qui culpabilisent : « Je bosse pour t'offrir ce qu'il y a de mieux, et toi !... »

C'est tout bon !

- Exprimer sa colère par les mots avant d'être envahi par elle.
- S'isoler quand on sent que l'on perd pied.
- Consulter un psy si les dérapages récidivent.

C'est tout faux !

- Le menacer d'une fessée et ne pas la lui donner.
- Le menacer d'une fessée et la lui donner.
- Le frapper et lui demander pardon après.
- Lui administrer une fessée « à froid » sous prétexte que c'est plus efficace.

Pour être convaincant, soyez convaincu

- Les tapes, fessées ou gifles dépossèdent l'enfant de son corps.
- Les châtiments corporels sont interdits par la loi.
- En matière d'éducation, les châtiments corporels sont totalement inefficaces.
- Sortir de vos gonds, c'est mettre en échec votre autorité.

Avec la collaboration rédactionnelle de Christelle Mulligan

Direction :
Catherine Saunier-Talec (Hachette Pratique) / Franck Tirlot (M6 Éditions)
Direction éditoriale :
Pierre-Jean Furet (Hachette Pratique) / Stéphanie Pelleray (M6 Éditions)
Édition :
Tatiana Delesalle-Féat (Hachette Pratique) / Marie Paumier (M6 Éditions)
Lecture-correction :
Vladimir Pol
Illustration de couverture :
Troll
Conception intérieure et couverture :
Salah Kherbouche
Réalisation :
Catherine Le Troquier
Fabrication :
Amélie Latsch
Responsables partenariats :
Sophie Augereau au 01 43 92 36 82 (Hachette Pratique) /
Églantine Deneux au 01 41 92 66 12 (M6)
Contact FremantleMedia : Nathalie Delin (01 46 62 12 91)

Channel Four Television Corporation 2004.
Distribution : Channel Four International Limited.

Produit en France par FremantleMedia.
© 2010, HACHETTE LIVRE (Hachette Pratique) – M6 Éditions

Pour l'Éditeur, le principe est d'utiliser des papiers composés de fibres naturelles,
renouvelables, recyclables et fabriquées à partir de bois issus de forêts qui adoptent
un système d'aménagement durable. En outre, l'Éditeur attend de ses fournisseurs de papier
qu'ils s'inscrivent dans une démarche de certification environnementale reconnue.

Imprimé en Espagne par UNIGRAF en septembre 2013
Dépôt légal: mai 2011
ISBN:978-2-01-238060-8
23-28-8060-05-6